D0295647

DE PIANO

Uitgeverij Bodoni
Baarn

Jane Campion

DE PIANO

GOUDEN PALM, CANNES 1993

vertaald door Barbara de Lange

tweede druk

omslagontwerp: Chaim Mesika BNO
omslagdia: Grant Matthews en Polly Walker

Uitgeverij Bodoni is een imprint van BV Uitgeverij De Kern.
Verspreiding voor België: Standaard Uitgeverij, Antwerpen

De film wordt in Nederland uitgebracht door

Concorde Entertainment Group

CIP-GEGEVENS KONINKLIJKE BIBLIOTHEEK, DEN HAAG

Campion, Jane

De piano / Jane Campion ; [vert. uit het Engels door Barbara de Lange]. – Baarn : Bodoni. – Ill.
Vert. van: The piano. – London : Bloomsbury, 1993.
ISBN 90-5526-002-9 geb.
NUGI 302
Trefw.: Piano, De (film) / filmscenario's.

INHOUD

Ik denk dat iedereen wel eens door romantische gevoelens wordt gedreven en dat we die gevoelens soms korte tijd uitleven, maar ze behoren niet bij een verstandige leefwijze. Ze vormen een heroïsche weg die doorgaans gevaarlijk afloopt. Ik respecteer die weg omdat ik geloof dat het een weg van grote moed is. Het kan ook de weg van de dwazen en de dwangneurotici zijn.

Jane Campion

DE PIANO

1. ADA (voice-over, scène 2-7).

De stem die u hoort is niet mijn spreekstem, maar de stem van mijn gedachten.

Ik spreek al sinds mijn zesde jaar niet meer. Niemand weet waarom, zelfs ik niet. Mijn vader zegt dat het een duister talent is en dat de dag waarop ik op het idee kom te stoppen met ademen mijn laatste zal zijn.

Vandaag heeft hij me uitgehuwelijkt aan een man die ik nog niet heb ontmoet. Binnenkort zullen mijn dochter en ik ons in zijn eigen land bij hem voegen. Mijn echtgenoot zei dat mijn stomheid hem niet hindert. Hij schrijft, en luister maar: God houdt ook van de stomme schepselen, waarom hij dan niet!

Moge hij Gods geduld hebben, want niemand blijft onberoerd door de stilte. Het vreemde is dat ik mezelf niet echt beschouw als stom, vanwege mijn piano. Die zal ik missen op de reis.

2. BUITEN. SCHOTS VELD BIJ HUIS. DAG.
Een vrouw in een donkere Victoriaanse jurk van crêpe zit met haar rug tegen een boom; haar handen zijn voor haar

gezicht geslagen, om haar hals draagt ze een schrijfblok. Ze loopt over een veld met grote kale bomen; op de achtergrond in de verte staat een natuurstenen huis van drie verdiepingen.

3. BINNEN. GANG IN SCHOTS HUIS. DAG.
Een klein meisje rolschaatst door een zwak verlichte gang. Een dienstmeisje kijkt de gang in waarin het meisje is verdwenen.

4. BINNEN. ZITKAMER SCHOTS HUIS. DAG.
Drie mannen met lange grijze schorten voor nemen de maat voor de bekisting van een piano. Een van de mannen heeft een tatoeage van een walvis in een ruwe zee op zijn arm.

5. BUITEN. ERF SCHOTS HUIS. DAG.
Het meisje zit met haar rolschaatsen aan op een kleine zwarte pony. Een oude man trekt, maar de pony weigert zich te verroeren. (Op de achtergrond een andere kant van het grijze, natuurstenen huis.)

6. BINNEN. SCHOTS HUIS. FLORA'S SLAAPKAMER. NACHT.
De vrouw slaat het dek terug van het voeteneinde van het bed van het slapende meisje. Ze heeft haar rolschaatsen nog aan. De vrouw knipt de veters door en trekt de rijglaarsjes uit. Eén lichaamloze schaats rolt door de kamer.

7. BINNEN. ZITKAMER SCHOTS HUIS. NACHT.
De vrouw staat voor een door de maan verlicht raam. Haar huid lijkt wit op te lichten. Ze raakt het houten raamkozijn aan, het gordijn, de voorwerpen op de vensterbank, haar gedachten zijn ver weg terwijl haar handen onbewust een afscheidsritueel voltrekken. Ze wendt zich van het raam af en loopt naar een tafelpiano te midden van verhuisdozen. In het vage licht begint ze met een krachtige aanslag te spelen. Haar gezicht is gespannen, ze is volledig geconcentreerd,

zich niet bewust van de vreemde keelklanken die ze maakt en die een spookachtige begeleiding voor de muziek vormen.

Een oude dienstbode in nachthemd komt kijken. Abrupt stopt de vrouw met spelen. De emotie trekt weg uit haar gezicht, dat verbleekt en een ondoorgrondelijke muur wordt.

HARDE BEELDOVERGANG NAAR ZWART

8. BUITEN. ONDER WATER. STRAND. DAG.
Over het oppervlak boven passeert een lange boot, de riemen steken door het wateroppervlak.

9. BUITEN. STRAND. DAG.
Door de woeste golven wordt een vrouw, ADA, *op de schouders van vijf zeelui aan wal gedragen. Haar wijde Victoriaanse rok valt over de armen en ruggen van de mannen, ze draagt een zwarte muts en om haar hals heeft ze haar potlood en papier. Het zij ons vergeven als deze vrouw een offer lijkt, omdat de baai waar ze naar toe wordt gebracht volstrekt onbewoond is. Zwart zand gaat over in een hoog oprijzend, dicht, inheems oerwoud.*

De brandingsgolven zijn chaotisch, de mannen blijven slechts met moeite overeind, roepen naar elkaar.

ZEELUI: Stil blijven, vuilak! Vervloekte boot! Kijk omhoog! Kijk omhoog! Bijleggen! Bijleggen! Omhoog ermee, lammelingen, houd vast! Verdomme, hou dan vast! [Enz.]

Twee van de mannen zijn zwart, ze zijn allemaal gehavend, getatoeëerd en gehard, sommigen zijn dronken.

Achter de vrouw komt haar dochter, een meisje van tien in een Schotse jurk. Ook zij wordt op de schouders van de zeelui gedragen.

ADA *wordt op het zand gezet. Ze kijkt omlaag, naar haar*

voeten die wegzinken in het natte zand, dan omhoog, naar de enorme wirwar van varens en oerwoud voor haar. Achter haar raast de zee.

Enkele zeelui staan in een kring te pissen op het zand.

Haar dochter zit op haar knieën kennelijk over te geven. Maar ADA*'s aandacht wordt getrokken door de zeelui die door de golven wankelen met een grote, pianovormige kist. Ze zetten de kist neer zodra ze aan land zijn, maar* ADA *gebaart dat deze onmiddellijk naar een hogere, veiliger plek moet worden gebracht. Als de piano naar haar zin is neergezet, drentelt ze eromheen, met één hand voortdurend op de kist, terwijl haar dochter haar vrije hand pakt.*

10. BUITEN. STRAND. DAG.

TWEE ZEELUI *hebben de laatste kist aan wal gebracht.*[1] *Koffers en dozen, waaronder een open krat met kippen, zijn slordig her en der op het strand gezet.*

De ZEELUI *komen bij elkaar. Na een discussie waarbij ze van* ADA *en haar kind naar hun kustvaarder op zee en terug kijken, komt een van de mannen naderbij. De andere mannen achter hem houden hun blik op zee of op het zand gericht. Ze willen er niets mee te maken hebben. De aanblik van de vrouwen alleen op dit strand is al te triest.*

ZEEMAN: Het is hier nogal ruw. Misschien kunnen ze u in dit weer niet bereiken. Misschien komen ze over land.

ADA *knikt.*

ZEEMAN: Heeft u iets om te schuilen?

ADA *knikt.*

ZEEMAN: Wàt heeft u?

ADA *maakt gebaren naar haar dochter. Het meisje spreekt helder en luid, zonder emotie.*

[1] zie noten, p. 125

FLORA: Ze zegt 'dank u wel'.

In verwarring loopt de man weg, dan draait hij zich om en komt terug.

ZEEMAN: Wil uw moeder misschien liever met ons mee naar Nelson?

ADA *maakt heftige gebaren naar* FLORA.

FLORA: Ze zegt, Nee. Ze zegt dat ze liever levend wordt gekookt door de inboorlingen dan weer in jullie tobbe stapt.

ZEEMAN (*Verbijsterd.*): Wees maar blij dat ik je geen draai om je lieve oortjes geef, juffertje. Denk erom.

11. BUITEN. STRAND. DAG.

FLORA *slaat de zeelui aan de waterlijn gade. Ze kijkt toe terwijl hun boot steeds kleiner wordt. Ineens bemerkt ze dat ze alleen en ver weg is, zowel van de boot als van haar moeder, en ze rent panisch over het strand naar haar moeder. De twee vrouwen zijn kleine stipjes op de kust en een steeds weidser panorama toont een uitgestrekt, eindeloos gebied van dicht, inheems oerwoud.*

12. BUITEN. STRAND. DAG.

ADA *zit angstig weggedoken achter de ingepakte piano.* FLORA *slaapt aan haar voeten met een half opgegeten koekje in haar hand.* ADA *heeft een gat in de kist ontdekt waardoor ze de klep kan oplichten en een paar noten kan spelen.*[2] *De mooie, troostende klanken van de piano lijken hun geïsoleerde en hopeloze situatie alleen maar te accentueren.*

Opeens schiet een golf zeewater onder de verhoogde bekisting van de piano door, zodat haar schoenen nat worden. ADA *staat op en trekt* FLORA *overeind. Ze is ontzet als ze ziet dat de vloed volkomen ongemerkt is komen opzetten.*

[2] zie noten, p. 125

Ze zien drie van hun dozen op zee wegdrijven. Een van de kippen is uit het krat ontsnapt en dobbert op de golven.

13. BUITEN. STRAND. NAMIDDAG.
Het wordt avond. Grijsgroen licht. ADA *en* FLORA *rennen over de brede zandvlakte. Het is nu eb en het zand ziet er glad en glibberig uit als de rug van een zeehond. De twee vrouwen blijven staan en kijken het strand af. Er komt nog steeds niemand.*

14. BUITEN. STRAND. SCHEMERING.
Er is alleen nog een roze zweem in de lucht. ADA *en* FLORA *schuilen in hun geïmproviseerde tent, een hoepelpetticoat die bij de zoom met stenen is verstevigd. In de tent praten ze bij het licht van een kaars.*

ADA *vertelt in gebarentaal een verhaal aan* FLORA, *die liggend toekijkt, gespannen en bang.* ADA*'s hele persoonlijkheid is betrokken bij het 'vertellen'; haar gezicht is beweeglijk, nu eens teder, soms droevig, soms vrolijk, dan weer zacht, terwijl haar handen en vingers vlug en precies zijn. Van buiten gezien is het een merkwaardig schimmenspel.*

FLORA (*In gebarentaal.*): Moeder... Ik zat te denken.

ADA *stopt.*

FLORA (*Sprekend.*): Ik ga hem geen papa noemen, ik ga HEM helemaal niets noemen. Ik ga HEM niet eens aankijken.

15. BUITEN. OERWOUD. ONDERWEG NAAR STRAND. DAG.
Door een dicht oerwoud loopt een groep van veertien MAORI'S, MANNEN *en* VROUWEN, *en twee* EUROPESE MANNEN. *Het oerwoud is zo nat, dicht en donker dat de lucht groen lijkt, als op de bodem van een diepe zee. Twee* MAORI'S *dragen samen één paar schoenen en ze dragen allemaal een combinatie van inheemse en Europese kleren. Een van de Europeanen is klein van stuk en maakt een timide indruk.*

Hij heeft een onafgemaakte Maori-tatoeage op zijn wangen. De ander is van ongeveer dezelfde leeftijd, rond de 45, en draagt een pak, dat bemodderd en misplaatst is in het oerwoud. Hij strompelt, rent naar voren en vertraagt zijn pas weer tot hij stilstaat. Zijn haar en gezicht zijn nat en zijn huid weerspiegelt het groene gebladerte. BAINES, *de jongste van de twee, draait zich om en houdt zijn pas in.*
BAINES: Moeten we stoppen? ...Wil je stoppen?
De stemmen en het gelach van de MAORI'S *worden zwakker.*[3]
BAINES *kijkt toe, verscheurd tussen zijn bezorgdheid om* STEWART *en de opsplitsing van hun groep.*

BAINES: Moeten we stoppen?
Als hij geen antwoord krijgt, rent BAINES *achter de* MAORI'S *aan.*
BAINES: *Tai hoa! Me tatari tatou... me tutatou i konei.*
[*Ondertiteld*: Wacht! We stoppen... we gaan stoppen.]
STEWART *haalt een kam te voorschijn en kamt verdwaasd, als een zombie, zijn natte haar. In de duisternis van zijn zak keert hij een fotootje met afgesleten randen om en om: in een streep groen licht kunnen we* ADA*'s ronddraaiende gezicht zien. Hij neemt de foto in de palm van zijn hand en kijkt er heimelijk naar. Net als de groep terugkomt en gaat zitten, loopt hij verder, gedreven en resoluut.*
STEWART: We moeten verder.
De MAORI'S *kijken verbijsterd naar* BAINES.
TAME: *Aue tepatupaiarehe!*
[*Ondertiteld*: De blonde mensen, wat wil je?]

16. BUITEN. STRAND. VROEG IN DE OCHTEND.
Het is vroeg in de ochtend. De zee is kalmer en het is weer eb. De groep van twee EUROPEANEN *en veertien* MAORI'S *verschijnt op het strand. Ongeveer de helft van de groep* MA-

[3] zie noten, p. 125

ORI'S *loopt rechtstreeks naar de vloedlijn waar een oudere vrouw de anderen bij elkaar roept om* pipi's *te rapen. Er wordt van alles gebruikt om ze in te bewaren, van manden van lijnwaad tot hemden met knopen in de mouwen. De rest volgt* STEWART *en* BAINES *naar de kisten.* STEWART *begint automatisch zijn haar weer te kammen, drukt het tegen zijn voorhoofd, waarop het in een geharkt patroon blijft plakken. Op zijn hoofd plaatst hij met zorg een formele, hoge, zijden hoed, opvallend schoon vergeleken met zijn bemodderde pak. De groep blijft vlak voor de petticoat staan, waar een voet de bewoners verraadt.*

STEWART: Miss McGrath, Alisdair Stewart. Jullie moeten wakker worden. Ik heb mannen bij me om de bagage te dragen.

ADA *en* FLORA *komen moeizaam overeind en zien voor zich een groep mannen en vrouwen. De* MAORI'S *bekijken de vrouwen nieuwsgierig en becommentariëren hen:*

Aue he anahera enei?

[*Ondertiteld*: Zijn het engelen? Ze zien eruit als engelen.]

Een man wijst naar FLORA*'s voeten en maakt een gebaar alsof hij een van de schoentjes in zijn hand houdt:*

Te monohi hoki!

[*Ondertiteld*: Wat klein!]

FLORA *wordt verlegen en verbergt zich onder de rokken van haar moeder.* ADA *kan* STEWART *niet recht in de ogen kijken en* STEWART *haar niet.*

STEWART: Ik zie dat jullie een flink aantal kisten bij jullie hebben, mag ik weten wat erin zit?

ADA *verroert zich niet en* STEWART *kijkt verbaasd.*

STEWART: KUN – JE – MIJ – VERSTAAN?

ADA *knikt en kijkt koel op, beledigd door zijn langzame, luide manier van praten.*

STEWART: Mooi zo, ja, mooi, mooi.

STEWART *glimlacht en kijkt* ADA *onderzoekend aan in de*

hoop een teken van begrip te zien, maar het uitblijven van enige reactie brengt hem van zijn stuk. Zijn glimlach verdwijnt en terwijl hij zijn haar gladstrijkt, loopt hij naar de dichtstbijzijnde kist. Verscheidene MAORI'S *volgen* STEWART, *waarbij een van hen hem precies en zorgvuldig nadoet.*

STEWART: Wat zit hierin?

ADA *wijst naar de woorden op de kist: 'Potten en pannen'.*

STEWART: O, ja, inderdaad, 't staat er, potten... En in deze?

ADA *schrijft 'lakens en linnengoed' op het schrijfblok om haar hals. Terwijl ze schrijft, neemt hij de gelegenheid te baat om haar te monsteren.*

STEWART: Je bent tenger. Ik had niet gedacht dat je zo tenger zou zijn.

Hij loopt naar een andere kist.

STEWART: Wat is dit?

Ze schrijft 'kleren'. De imiterende MAORI *doet ook of hij schrijft.*

Ten slotte komt hij bij de kist met de piano. Hij probeert een hoek op te tillen.

STEWART: En wat zit hier dan in, lood?

FLORA (*Ernstig.*): Dat is de piano van mijn moeder.

STEWART: Een piano?

De MAORI'S *raken de zichtbare poten van de piano aan.*

STEWART *praat tegen de andere Europeaan,* BAINES.

STEWART: Zeg dat ze twee aan twee moeten dragen. Die drie en die twee de zwarte en de rode en dan de koffers.

STEWART *houdt* BAINES *nog even tegen.*

STEWART: Wat vind je?

STEWART *knikt in de richting van* ADA. BAINES *denkt even na en draait zich dan ook naar* ADA *om.*

BAINES: Ze ziet er moe uit.

STEWART: Ze is onvolgroeid, dat staat vast.

BAINES *loopt naar* HONE, *een forse man en de leider van de*

MAORI'S; *hij heeft een fiere houding die een duidelijk besef van zijn eigen gezag,* mana, *uitdrukt.*

BAINES: *Anei nga pouaka – ko era e toro. Me era e raa.* [*Ondertiteld*: Hier staan de kisten, die drie en die twee.]

HONE: *E Hoa!*

HONE *neemt een agressieve vechthouding aan tegenover* BAINES, *hij is beledigd omdat* BAINES *oppert dat hij iets draagt.* HONE *draagt niets, hij is de baas. Met grote waardigheid trekt* HONE *zich terug, te gegriefd om te helpen. Andere* MAORI'S *komen aanlopen en* BAINES *wijst hun de kisten.* ADA *is ongerust, de piano wordt achtergelaten. Ze schijft op haar schrijfblok: 'DE PIANO?' Ze laat het aan* STEWART *zien.*

STEWART: O nee, die kan nu niet mee.

FLORA: Hij moet mee.

STEWART *kijkt* FLORA *aan.*

FLORA: ... ze wil dat hij meekomt.

STEWART: Ja, ik ook, maar we zijn met te weinig mensen om hem te dragen. TE – ZWAAR.

ADA *schrijft: 'IK HEB DE PIANO NODIG.' De imiterende* MAORI *doet haar na.*

STEWART: Bedoel je dat je je keukengerei en kleren niet mee wilt? Bedoel je dat?

ADA *gebaart naar* FLORA.

FLORA: We kunnen de piano niet achterlaten.

STEWART: Laten we er maar niet meer over praten. Ik ben erg blij...

STEWART *begint langzamer te praten als hij ziet dat* ADA *opnieuw naar* FLORA *gebaart; hij heeft het onaangename gevoel dat hij in de rede wordt gevallen.*

FLORA: Moeder wil weten of ze direct terug kunnen om hem op te halen.

STEWART *is onthutst; zijn mond blijft half open staan, midden in een zin.* TAHU *imiteert de half open mond volmaakt.*

FLORA: ...nadat ze de andere spullen hebben meegenomen?

STEWART *raakt steeds meer van de wijs en wordt ongerust. Zijn twee imitators en hun aangroeiende publiek maken hem nog zenuwachtiger.*

PITO: *Kei Riri a te raho Maroke. (Luid tegen* TAHU *geschreeuwd.)*

[*Ondertiteld*: Pas op, droogstoppel wordt kribbig.]

STEWART *knikt argwanend in de richting van de sprekende* MAORI, *zonder hem te begrijpen; de spreker glimlacht en knikt ook naar hem.*

STEWART: Ik stel voor dat je je op een zware tocht voorbereidt. De takken zullen je kleren scheuren en hier en daar is de modder erg diep.

STEWART *loopt weg.* ADA *staat naast de piano, met haar rug naar alle activiteit.* FLORA *klopt haar op haar hand in een poging haar op te vrolijken. Verderop op het strand wordt vuur gemaakt en er worden* pipi's *schoongemaakt om ze te koken. Enkele jonge mannen rennen naakt de zee in.*

STEWART (*Tegen* BAINES *over de* MAORI'S.): Wat doen ze nou? Daar hebben we geen tijd voor.

17. BUITEN. STRAND. DAG.

Het is enkele uren later en de dragers beginnen aan hun tocht door het oerwoud. ADA *staat nog steeds bij haar piano.* FLORA *wil de dragers volgen.* BAINES *loopt over het strand terug, gevolgd door een jonge Maori-jongen,* KAHA.

BAINES: Meneer Stewart vroeg of ik u het pad wilde wijzen.

(ADA *verroert zich niet.*) ...Kan ik iets dragen?

ADA *keert zich naar* BAINES *om met een kwade en uitdagende uitdrukking op haar gezicht en tranen in haar ogen.* BAINES *doet een stap terug, getroffen door de emotie die ze toont.* ADA *en* FLORA *lopen langs hem heen het oerwoud in.*

18. BUITEN. OERWOUD EN KLIFFEN BOVEN STRAND. DAG.
Het gezelschap baant zich een weg door het oerwoud langs de rand van de klif. ADA *blijft op de top staan kijken naar haar piano beneden op het strand, klein en verloren. Ze wordt plotseling overweldigd door de afstand en haar liefde voor de piano. De pianomuziek klinkt zacht en wordt luider in de volgende scène.*

19. BUITEN. OERWOUD VANAF STRAND. DAG.
Bruine voeten ploeteren door de modder en worden later gevolgd door sierlijke laarsjes met klonters aarde erop. De leiders van de MAORI'S *zijn blijven staan.*

BAINES *werkt zich moeizaam naar voren.*[4]

BAINES: *E aha tenei?*

[*Ondertiteld*: Wat is er?]

HONE: *E hinga te Koroua ra a Pitama i konei.* (*Wijst.*) *Kare noa Kia hikina te tapu.*

[De oude Pitama is hier gestorven. (*Wijst naar de plek.*) Het *Tapu* is nog niet opgeheven.]

STEWART *komt moeizaam naar* BAINES *toe; hij praat door* HONE*'s woorden heen.*

STEWART: Wat zegt hij?

BAINES: Er is hier iemand gestorven. Het is *tapu.*

STEWART: Maar op de heenweg zijn we er toch ook langs gekomen? Ik weet het zeker.

De leiders van de MAORI'S *zetten hun discussie voort:*

– Ouwe Pitama huh.

HONE: *E Tama heke atu ki raru – tiro hia atu. Rapuhia mai he huarahi re!*

[Ga maar kijken, zoek een ander pad!]

TIPI: *Kia tupato – he ana taniwha ke raro na.*

[*Ondertiteld*: Voorzichtig, er is daar een schim.]

HOTU: *Ka, rongo koe i te haunga o tana tutae i te tuatahi.*

[4] zie noten, p. 128

[Je ruikt zijn stront eerst.]
STEWART *praat verder, dwars door het gesprek van de* MAORI'S *heen.*
STEWART: Ze willen meer geld. Willen ze er twee dagen van maken?
BAINES: Nee, nee, ze weten nog een pad – opzij van dit pad.
ADA *en* FLORA *zitten buiten adem toe te kijken. Het oerwoud is dicht, benauwend en exotisch. Een van de* MAORI-*vrouwen zit vlak bij* ADA *en kijkt ogenschijnlijk niet naar haar. Langzaam trekt ze de sjaal die op* ADA*'s schoot ligt naar zich toe. Uitdagend doet ze hem om.*

Ondertussen doet een andere vrouw een waardige poging om de sproeten van FLORA*'s gezicht te poetsen.*

20. BUITEN. STEWARTS HUT. DAG.
De volgende dag. In STEWART*s hut, die onbeschut te midden van smeulende stronken staat, wordt gegild, gerend en gestoeid.*

21. BINNEN. STEWARTS HUT. DAG.
De pastoor in toga heeft zijn armen half in de mouwen van een bruidsjapon gestoken. Het is geen normale bruidsjapon, maar een zonder rugpand, vaak gebruikt als rekwisiet bij foto's. Stewarts TANTE MORAG *en haar gezelschapsjuffrouw* NESSIE *proberen de jurk van hem af te trekken.*
TANTE MORAG: Kijk uit waar je staat!
NESSIE: Kijk uit waar je staat!
ADA *en* FLORA *vinden de huiselijke pret beangstigend en zijn naar de slaapkamer gevlucht.*
TANTE MORAG: Pas op! Houd zijn hand in de gaten.
NESSIE: Houd zijn hand in de gaten...
De PASTOOR *kietelt zijn zuster als zij probeert de mouw van zijn hand te trekken.* NESSIE *gilt van opwinding.*
TANTE MORAG: Hou' ooop!

NESSIE *kijkt, hijgend van opwinding van het gestoei, naar* ADA.

TANTE MORAG(*Duwt de pastoor de deur uit.*): Wij brengen de bruid wel naar buiten.

Nu passen de twee vrouwen ADA *de bruidsjapon aan.*

TANTE MORAG: TIL - JE - ARM - OP - SCHAT.

FLORA *zit te pruilen op het bed. Ze leunt achterover en slaat haar benen over elkaar.*

FLORA: Mijn ECHTE vader was een beroemde Duitse componist...

TANTE MORAG: ...O, het strookje is gescheurd.

FLORA (*Vervolgt.*): ...Ze hebben elkaar leren kennen toen mijn moeder operazangeres was... in Luxemburg...

De twee vrouwen zwijgen en kijken FLORA *aan.* ADA *beduidt*

FLORA: *'DAT IS GENOEG!'*

FLORA: Waarom?

ADA *kijkt weg, de twee vrouwen leggen de laatste hand aan de japon.*

FLORA *slaat haar armen over elkaar.*

FLORA: Ik wil ook op de foto.

22. BUITEN. STEWARTS HUT. DAG.

NESSIE *houdt een paraplu gedeeltelijk boven* ADA, *terwijl ze zich naar de plek begeven waar de camera staat opgesteld voor een stoel met drie armzalige* toi-toi *eromheen. Het is één grote modderpoel rond het huis, zodat ze over planken en houtblokken moeten lopen. Er valt een fijn waas van regen over het oerwoud in de verte en het hele dal is in nevel gehuld.*

STEWART *kijkt door de camera naar de* PASTOOR *en de fotograaf die als paar poseren, compleet met een opzichtig boeket.* STEWART *ziet dat* ADA *is gearriveerd en nu hij haar als een echte bruid ziet, zijn bruid, is hij sprakeloos van trots; zelfs de grove banden achterop de japon kunnen de illusie niet verstoren.*

STEWART: ...Mooi.
De paraplu's worden weggehouden, het stroomt van de regen.

23. BINNEN/BUITEN. STEWARTS HUT/SLAAPKAMER. DAG.

TANTE MORAG *heeft een stoel meegenomen naar de slaapkamer en zit vlak naast* FLORA.

TANTE MORAG: Ik dacht dat ze je vader in Luxemburg had leren kennen.

FLORA: Nou ja, eigenlijk in Oostenrijk, waar hij het Koninklijk Orkest leidde...

TANTE MORAG (*Fronst.*): En waar zijn ze getrouwd?

TANTE MORAG *vergewist zich ervan dat er niemand aankomt.*

FLORA (*Haar Schotse accent wordt zwaar en expressief.*): In een heel groot bos, met echte feeën als bruidsmeisjes, allemaal hand in hand met een elfje.

TANTE MORAG *leunt naar achteren en kijkt* FLORA *duidelijk misprijzend en teleurgesteld aan. Ze strijkt haar haar achterover.*

FLORA: Nee, dat is gelogen, het was in een dorpskerkje, bij de bergen...

TANTE MORAG *raakt weer geïnteresseerd. Ze leunt naar voren.*

TANTE MORAG: Welke bergen dan, schatje?

FLORA: De Alpen.

TANTE MORAG: O, daar ben ik nog nooit geweest. (*Ze leunt naar voren.*)

FLORA: Moeder zong vroeger liederen in het Duits en haar stem echode in de dalen... Dat was voor het ongeluk...

TANTE MORAG: O, wat is er gebeurd?

TANTE MORAG *kijkt over haar schouder terwijl* FLORA *verder vertelt;* FLORA *vertelt zo overtuigend dat het tafereel bijna tot leven komt, al was het maar in* FLORA*'s donkere ogen.*

FLORA: Op een goede dag, toen mijn vader en moeder samen in het bos aan het zingen waren, stak er zomaar ineens een grote storm op. Maar ze zongen zo hartstochtelijk dat ze het niet merkten, en ze hielden ook niet op toen het begon te regenen en toen hun stemmen omhooggingen voor de laatste maten van het duet, kwam er een heel grote bliksemflits uit de hemel die mijn vader trof en hij brandde als een fakkel... En op hetzelfde moment dat mijn vader werd gedood, werd mijn moeder stom! Ze – heeft – nooit – meer – een – woord – gezegd.

TANTE MORAG: Lieve help! Geen woord meer... Van schrik, ja, natuurlijk.

Het verhaal wordt onderbroken door de terugkeer van het BRUIDSPAAR *en de anderen, die net als het paar in het verhaal druipnat zijn.* TANTE MORAG *begint bedrijvig de natte bruidsjapon af te nemen, zichtbaar onder de indruk van de tragedie.*

TANTE MORAG: ...Verschrikkelijk... Verschrikkelijk...

Voordat ze de banden kan losmaken, rukt ADA *de jurk van zich af, zo heftig dat de banden en een deel van de jurk scheuren.* ADA *bekommert zich er niet om, ze is buiten zichzelf van bezorgdheid om de piano. Ze loopt naar het raampje en kijkt zorgelijk naar de stromende regen.*

24. BUITEN. STRAND. SCHEMERING.

Gedurende de vorige scène klonk zachte pianomuziek. Nu zwelt de muziek aan, terwijl het zeewater kolkend stijgt rond de piano, die klein en bedreigd op het donkere, regenachtige strand staat.

25. BINNEN. STEWARTS HUT/SLAAPKAMER. DAG.

De ochtend van de volgende dag. ADA *en* FLORA *zitten tussen theekisten in de slaapkamer.* ADA *gebaart heftig naar* FLORA. FLORA *gebaart terug en gebruikt af en toe woorden.* STEWART *kijkt toe, niet op zijn gemak bij hun geheime communicatie. Als* STEWART *binnenkomt, stoppen de gebaren.* ADA *staat op en doet een stap achteruit, alsof ze in de houding gaat staan.*

STEWART: Ik moet een paar dagen weg. Er is een stuk Maori-land dat ik hebben wil en misschien voor een schappelijke prijs kan krijgen. (STEWART *schuifelt met zijn voeten.*) Ik hoop dat je die tijd zult gebruiken om te wennen en dat we, in zekere zin, een nieuw begin kunnen maken...

FLORA *en* ADA *kijken elkaar aan.*

STEWART: Goed?

ADA *kijkt hem uitdrukkingsloos aan en knikt.*

26. BUITEN. STEWARTS HUT. DAG.

ADA *en* FLORA, *met capes om en mutsen op, lopen langs het dichte oerwoud en proberen een pad het bos in te vinden. Het is niet gemakkelijk, want het bos is dicht.* ADA *zakt tot haar kuit weg in de modder.*

27. BUITEN. BAINES' HUT. DAG.

ADA *en* FLORA *arriveren bij de hut van* BAINES. *Het is halverwege de ochtend, maar* BAINES *is nog niet aangekleed.*

ADA *overhandigt hem een briefje.*

BAINES *kijkt er uitdrukkingsloos naar.*

BAINES: Ik kan niet lezen.

ADA *gebaart naar* FLORA.

FLORA: Wilt u ons alstublieft naar het strand brengen, waar we aan land zijn gekomen?

BAINES: Het spijt me, dat gaat niet. (FLORA *en* ADA *staren hem vlak aan.*) Ik heb geen tijd. (*Ze blijven hem strak aankijken.*) Tot ziens...

28. BUITEN. BAINES' HUT. DAG.

Het is veel later. BAINES *komt zijn hut uit met een zadel over zijn arm. De twee vrouwen zijn er nog steeds.* ADA *kijkt vol verwachting naar hem op.* FLORA*'s gezicht weerspiegelt haar uitdrukking.*

BAINES: Ik – kan – jullie – er – niet – heen – brengen. Het gaat niet.

Hij legt het zadel over een hek. Hij gaat door met opzadelen, maar werpt af en toe van onder en achter het paard een blik op hen. Ze kijken nauwlettend toe, niet smekend, maar koppig, griezelig eensgezind.

29. BUITEN. STRAND. DAG.

De hemel is blauw en er drijven lange wolkenslierten in.

Het groepje van drie mensen komt op de lange strook strand waar de piano nog steeds staat. Er zijn bezoekers geweest. Er zijn voetafdrukken in het zand en enkele planken zijn weggetrokken. ADA *loopt* BAINES *voorbij in haar haast om bij de piano te komen. Al gauw heeft* ADA *genoeg planken verwijderd om de klep omhoog te doen en het klavier te bespelen.* BAINES *blijft achter.* ADA *geniet ervan de toetsen weer onder haar vingers te voelen. Haar hele houding is veranderd. Ze is levendig, blij, opgewonden.*

Verderop op het natte zand voert FLORA *met een pruik van wier op haar hoofd een wilde, zelfbedachte dans uit. Aan het eind rolt ze over het zand.*

BAINES *slaat hen achterdochtig gade, maar wordt als door een magneet aangetrokken tot het schouwspel. Hij heeft nog nooit zoveel overgave bij vrouwen gezien. Zijn aandacht wordt getrokken door* ADA*'s ongeremde, emotionele pianospel en al kijkend komt hij onwillekeurig dichterbij.*[5]

30. BUITEN. STRAND. NAMIDDAG.

De schaduwen lengen op het strand als BAINES *de planken bijeenraapt.* ADA *en* FLORA *proberen een duet te spelen.*[6] ADA *merkt dat hij met de planken naar hen toe komt, duidelijk met de bedoeling te vertrekken. Haar gezicht betrekt, ze speelt koppig door, al is* FLORA *opgehouden. Ze stopt abrupt.*

[5-6] zie noten, p. 129

Neerslachtig trekt ze haar cape weer aan en zet ze haar muts op. BAINES *is onder de indruk van deze plotselinge verandering; hij observeert haar gefascineerd terwijl hij de planken op hun plaats brengt.*

31. BUITEN. OERWOUD EN KLIF BOVEN STRAND. SCHEMERING.
Weer blijft ADA *staan om vanaf de top van de klif naar haar piano te kijken. De hemel wordt donker en overal klinkt het gefluit van vogels. Ze wendt zich van de top van de klif af met een wanhopige uitdrukking op haar gelaat. Ze loopt* BAINES *voorbij zonder acht te slaan op zijn nieuwsgierige blikken.*

32. BUITEN. STEWARTS HUT. SCHEMERING.
STEWART*s silhouet beweegt in het avondlicht over de kam van de heuvel. Beneden hem blaast de hut rook het dal in. Door de ligging van het terrein blijven geluiden als in een schelp gevangen en de heldere, hoge tonen van een stem zijn te horen.*

33. BINNEN/BUITEN. STEWARTS HUT EN KEUKEN. SCHEMERING.
Wantrouwig omdat ADA *zingt, nadert* STEWART *zachtjes het huis. Door de open keukendeur ziet hij dat de toetsen van een piano in het tafelblad zijn gekerfd. Terwijl* ADA *de noten 'speelt', zingt* FLORA.[7]

STEWART *zet zijn rugzak neer.* ADA *gaat beleefd staan en slaat het tafelkleed weer over de tafel.*

STEWART: Zo, hallo.

FLORA: Hallo.

ADA *knikt.* STEWART*s hand betast de groeven in de tafel.* ADA *kijkt toe terwijl zijn hand onder het geblokte kleed glijdt.*

[7] zie noten, p. 129

34. BINNEN. MISSIEPOST. DAG.

TANTE MORAG, NESSIE *en* TWEE MAORI-MEISJES *gekleed in nette Victoriaanse jurken zitten geknield rond een enorm dubbelgevouwen wit laken, dat ze naaien en knippen. De* MAORI-MEISJES *maken deel uit van de goede werken van de missie. Ze zijn in Europese stijl gekleed en hoewel hun beschaafd, net, huishoudelijk gedrag is bijgebracht, vallen ze voortdurend uit hun rol met hun opvallende blijken van genegenheid en hun stenen pijpen tabak, waaraan ze verslaafd zijn.*

STEWART *staat en kijkt toe.* BAINES *staat achter hem in de keuken en trekt zijn laarzen uit.*

TANTE MORAG (*Met een kritische blik op* STEWART.): Zo, je bent gestopt met je haar te kammen, mooi zo, het zag er overdreven uit. (*Zonder overgang, maar doelend op het laken.*) Kijk, dit zijn de spleten waar de hoofden door gaan, laat hem eens zien, Nessie... ze zijn dood en de pastoor gebruikt dierebloed, het wordt vast heel dramatisch. Thee! (*Meer vóór dan tegen* NESSIE.)

NESSIE: Het wordt heel dramatisch.

NESSIE *loopt weg om thee te halen.* HENI, *het* MAORI-MEISJE *met een* moku, *kietelt onder het naaien* MARY*'s rug.*

Ze zingen haperend het volkslied.[8] *Het vormt de achtergrond van het gesprek.*

STEWART (*Gaat zitten.*): Wat zouden jullie ervan vinden als iemand op een keukentafel speelt alsof het een piano is?

TANTE MORAG: Alsof het een piano is?

STEWART: Vreemd, hè? Ik bedoel maar, het is geen piano, er komt geen geluid uit.

NESSIE *zet een kop thee voor* STEWART *neer.* BAINES *komt binnen met zijn theekopje, dat klein lijkt in zijn grote han-*

[8] zie noten, p. 129

den. Hij blijft op de achtergrond en leunt tegen een muur.

TANTE MORAG (*Sissend tegen* NESSIE.): Koekjes! Nee, geen geluid.

NESSIE *loopt haastig terug naar de keuken.*

STEWART: Ik wist wel dat ze niet kon spreken, maar nu begin ik te denken dat er meer aan de hand is. Ik vraag me af of haar hersens ook zijn aangetast.

TANTE MORAG: ... Helemaal geen geluid?

STEWART: Nee, het was een tafel.

TANTE MORAG (*Peinzend.*): Nou, ze was ook heel fel met die jurk. Ze heeft er een stuk kant afgescheurd. Als ik er niet bij was geweest, durf ik te zweren dat ze haar tanden had gebruikt...

NESSIE: ... en haar voeten eraan had afgeveegd.

STEWART: Nou, er is nog niets gebeurd, ik maak me alleen zorgen.

TANTE MORAG *klopt op haar borst om zich te kalmeren.*

TANTE MORAG: O ja, ja, natuurlijk, zorgen.

STEWART: Er valt wel iets te zeggen voor stilte...

TANTE MORAG: O, zeker. Garen!

Ze houdt haar naald op zodat NESSIE *er een draad door kan rijgen.*

STEWART (*Enthousiaster.*): ... Mettertijd zal ze vast wel toegeneger worden.

TANTE MORAG: Vast, van niets ga je zo gemakkelijk houden als van een huisdier en *die zijn ook stom.*

BAINES *kijkt zwijgend toe.*

35. BUITEN. STEWARTS HOUTBLOK. DAG.

STEWART *staat bij het houtblok en klooft brandhout. Hij toont zijn virtuositeit als houthakker en klooft het hout in steeds dunnere stukken.* FLORA *kijkt toe en stapelt het gevallen hakhout op. Haar gezicht vertrekt als de bijl het hout raakt, maar ze snelt toe om het hout op te rapen.* BAINES *staat tegen* STEWART *te praten.*

BAINES: Die vijftig bunder aan de overkant van de rivier, wat vind je daarvan?
STEWART: Op jouw grondgebied?
BAINES: Ja.
BAINES *draagt een stam aan voor* STEWART, *die zonder zijn werk te onderbreken doorpraat.*
STEWART: Mooi, vrij vlak land met betrouwbare bewatering – hoezo? Ik heb geen geld. Wat wil je?
BAINES: Ik wil het ruilen.
STEWART: Waartegen?
BAINES: De piano.
STEWART: De piano op het strand? Ada's piano?
BAINES *knikt.* STEWART *stopt; dit is serieus.*
STEWART: Het is toch niet drassig?
STEWART *is een paar stappen van zijn houtblok weggelopen in de richting van het land.*
BAINES: Nee.
STEWART: Je moet hem zelf hierheen zien te halen.
BAINES: Ja, dat dacht ik al.
STEWART: Wel, wel, Baines de muziekliefhebber, dat had ik nou nooit gedacht.
Verborgen talenten, George?
BAINES: Ik moet wel les hebben. Anders heb ik er niet veel aan.
STEWART: Ja, dat zal wel.
BAINES *zwijgt. Hij kijkt de andere kant op.*
STEWART: Nou, Ada kan piano spelen.
BAINES *haalt zijn schouders op.*
STEWART: Ik heb een brief waarin staat dat ze goed speelt. Ze speelt al sinds haar vijfde of zesde.
FLORA *is opgehouden met stapelen. Ze ligt op het hout en tilt één been telkens op, terwijl ze de mannen gadeslaat.*

36. BINNEN. STEWARTS KEUKEN. DAG.
STEWART, *vol van zijn plannen, schenkt thee in kopjes.*

FLORA *tuurt ter hoogte van de kopjes door de damp.* ADA *zit naast haar aan tafel.*

STEWART: Ik heb een stuk uitstekend land gekregen. Baines is op het malle idee gekomen dat hij een piano wil en jij moet hem lesgeven. Heb je wel eens lesgegeven?

ADA *gebaart naar* FLORA.

FLORA: Waarop?

STEWART: Op je piano, dat is de ruil.

ADA *maakt tekens met haar vingers, ze kijkt woedend.*

STEWART: Wat zegt ze?

FLORA: Ze zegt dat het haar piano is en dat ze niet wil hebben dat hij eraan komt. Hij is een pummel, hij kan niet lezen, hij weet niets.

STEWART: Hij wil leren... en dan kun jij spelen... (ADA *reageert er niet goed op.*) Leer hem er goed voor te zorgen.

ADA *begint te hijgen van kwaadheid, ze schrijft verwoed op haar blocnote: 'NEE, NEE, DE PIANO IS VAN MIJ! VAN MIJ!'*

STEWART *kijkt vol argwaan en minachting naar haar briefje en haar woede.*

STEWART (*Staat op.*): Zo kun je niet doorgaan, we vormen nu een gezin, we moeten allemaal offers brengen, jij ook.

ADA *ontploft, ze veegt de kopjes, de theepot, het brood van tafel.* STEWART *loopt bleek en stram naar buiten.* FLORA *bukt zich om de kopjes op te rapen, maar doet vlug een stap achteruit als* ADA *de weglopende* STEWART *impulsief een bord achterna gooit. Het bord slaat stuk tegen de wand.* STEWART *komt terug, trillend van woede.*

STEWART: Je geeft hem les. Daar zal ik op toezien!

ADA*'s emoties zijn plotseling verdwenen en ze kijkt* STEWART *met een uitdrukkingsloze, angstaanjagende blik aan.*

37. BUITEN. OERWOUD VANAF STRAND. DAG.

De piano wordt door het oerwoud gedragen door een stuk of

zeven MAORI'S. *Hij is loodzwaar en onhandelbaar; ze kreunen en worstelen ermee.*

Hiki na ake muri na!
[Til de achterkant op.]
Tero – tero!
[Hufter!]
Hei niti niti maau! (*Draait zich om.*)
[Lik me reet.]

Iemand struikelt en de achterkant van de piano valt met een dreun op de grond, waarbij de onderste tonen van de toonladder luid weergalmen. De mensen verspreiden zich. Alleen TU *blijft staan, die de piano krijgshaftig uitdaagt in een* haka:

Kowai tenei e haruru nei?
Ko Ruaumoko, Ko Ruaumoko.
Kowai tenei e haruru nei!
Ko Ruaumoko, Ko Ruaumoko.
Werohia Patúa, Werohia Patúa
Werohia Patúa – Werohia Patúa
Te Taniwha, Te Taniwha.
Kei roto ra ee He![9]

Een van de andere MAORI'S *komt voorzichtig naderbij. Hij tilt de piano aan één hoek op en laat hem weer vallen. De piano weergalmt, het geluid echoot door een groot stuk oerwoud.*

38. BUITEN. PAD NAAR BAINES' HUT DOOR BOS MET BAARDMOS. DAG.

De vrouwen bukken diep om zich niet aan takken te stoten als STEWART *hen op zijn paard naar de hut van* BAINES *brengt. Het pad loopt omhoog door een vreemd woud met baardmossen en spookachtige bomen met kale kruinen.*

[9] zie noten, p. 129

STEWART: Ik zou beginnen met kinderliedjes, geen ingewikkelde dingen...

ADA *toont geen berouw, ze wil* BAINES *geen pianoles geven.*

STEWART: Je hoeft hem alleen maar wat aan te moedigen, niemand verwacht dat hij er goed in wordt.

39. BINNEN/BUITEN. BAINES' HUT. DAG.

De piano is het enige verzorgde voorwerp in de eenvoudige hut.

STEWART (*Opent de klep.*): Hij ziet er goed uit, een heel mooi ding. Nou... Ik wens je geluk. De meisjes verheugen zich op de lessen.

De 'meisjes' zien er niet uit of ze zich ergens op verheugen. FLORA *is verlegen en speelt dwangmatig met een lange lok vet haar.* ADA *is kil en somber.*

STEWART: Flora legt wel uit wat Ada zegt. Ze praten met hun vingers, het is niet te geloven wat ze alleen met hun handen kunnen zeggen.

STEWART *vertrekt.* BAINES *loopt naar de piano en licht de klep op. Hij kijkt naar hen.* ADA *gebaart naar* FLORA.

FLORA: Mijn moeder wil uw handen zien. Steek ze uit.

BAINES *steekt zijn handen uit, gespreid alsof hij een bal vasthoudt.*

FLORA: Nee, nee, zo...

FLORA *houdt haar schone vingertjes bij elkaar, eerst met de rug van haar hand omhoog, dan omgedraaid.* BAINES *doet haar na, alleen zijn zijn handen groot en grof.* ADA *gebaart naar* FLORA.

BAINES *is verlegen, maar willig.*

FLORA: U moet ze wassen.

BAINES: Ze zijn gewassen.

ADA *gebaart.*

FLORA: Was ze nog eens.

BAINES: De merktekens gaan er niet af. Het zijn littekens en eelt.

ADA *en* FLORA *verroeren zich niet. Vernederd pakt* BAINES *een borstel, zeep en een emmer en gaat naar buiten, gevolgd door* FLORA. ADA *kan hem door het raam zien. Ze loopt naar haar piano. Ze wil hem aanraken, maar ze wordt door emoties verscheurd, ze wil de piano, maar hij is niet van haar. Ze laat haar hand over het gepolijste hout glijden en tilt voorzichtig de klep op.* FLORA *staat buiten naast* BAINES *en wijst plekken op zijn handen aan die hij nog moet boenen. Schichtig legt* ADA *haar handen op de toetsen. Het instrument klinkt hopeloos ontstemd, bijna iedere noot is vals. Ze gaat naar buiten en gebaart naar* FLORA.

FLORA: De piano is ontstemd dus ze kan u geen lesgeven.

De twee vrouwen vertrekken.

40. BUITEN. STEILE HELLING IN OERWOUD. DAG.

Twee mannen vallen van een steile heuvel in het oerwoud. Ze zijn aan elkaar vastgebonden. BAINES, *de jongste en sterkste, probeert hun val te breken door zich vast te grijpen aan takken en jonge loten. Ten slotte wordt hun val gebroken. De oude man heeft grijs haar, de voorkant van zijn pak is besmeurd met de resten van vele maaltijden. Hij gaat rechtop zitten en tast om zich heen op zoek naar zijn bril. Hij is blind. Zijn ogen zijn gesloten, maar draaien in hun kassen.* BAINES *vindt de bril. Een van de glazen ontbreekt, de andere is donker. De oude man stopt zijn zakdoek in het gat.*

41. BUITEN. BREDE PUINHELLING. DAG.

BAINES *draagt de oude man op zijn rug; ze steken een brede puinhelling over. Bij elke stap van* BAINES *raken er stenen los. De steenval weergalmt in het dal.* BAINES *en hij zijn maar stipjes op dit reusachtige litteken in de aarde.*

42. BUITEN. MOERAS MET KOOLPALMEN. DAG.

BAINES *heeft in elke hand een lange stok. De grijsharige man loopt achter hem en houdt de stokken vast. Zijn voeten zoeken naar veilige grond. De moerassige grond waarop ze lopen staat vol met koolpalmen.*

43. BINNEN. BAINES' HUT. DAG.

In BAINES*' hut laat de oude man zijn vingers over de piano gaan.*

BLINDE MAN: Ach, een... Broadbent. Een mooi instrument. Ik ben er hier nooit een tegengekomen, en ook niet op de Eilanden waar ik er zeker tweehonderd heb gestemd. Ja, ze houden daar van hun piano's.

Hij haalt een goed ingepakte stemvork uit zijn zak. Hij pakt hem uit, tilt de klep en het deksel op en begint te stemmen. Hij snuift. BAINES *kijkt toe. Hij snuift bij de toetsen:*

Parfum? En zout natuurlijk.

Hij werkt door.

Wat gaat u spelen als hij gestemd is? Wat voor muziek speelt u?

BAINES *kijkt naar hem op van het maal dat hij bereidt.*

BAINES: Ik kan niet spelen.

De blinde man staakt zijn werk.

BLINDE MAN: U speelt niet?

BAINES: Nee, ik kan het niet. Ik ga het leren.

De man werkt verder, ietwat gedeprimeerd door de zinloosheid van zijn werk.

BLINDE MAN: Nou, beste mevrouw Broadbent, gestemd maar stom.

44. BUITEN. BAINES' HUT EN SCHOORSTEEN. AVOND.

De schoorsteen van de hut spuwt vonken en vlammen in de donkere lucht.

45. BINNEN. BAINES' HUT. AVOND.

Binnen eten de twee mannen een eenvoudig maal van varkensvlees en aardappelen. De blinde man eet van de deksel van een kist. BAINES *heeft zijn bord op zijn schoot. Zijn hond volgt met zijn ogen elke hap naar zijn mond. Er hangt een dikke rookwolk in de kamer.*

BLINDE MAN: Mijn vrouw had een kristalheldere zangstem. Toen we trouwden, stopte ze met zingen. Ze zei dat ze geen zin had om te zingen, dat het leven haar droevig stemde. En zo leefde ze, met een volmaakte stem, een mooie stem, die niet over haar lippen kwam.

46. BINNEN. BAINES' HUT. OCHTEND.

Er valt een baan zonlicht over de piano. Duizenden stofdeeltjes zweven zichtbaar in de lucht. BAINES *staat bij het raam in zijn hemd/nachthemd. Hij ziet het stof op de piano en trekt zijn hemd uit om het als stofdoek te gebruiken. Onder het hemd is hij naakt. Terwijl hij het glanzende hout schoonveegt, wordt hij zich bewust van zijn naaktheid. Zijn bewegingen vertragen totdat hij de piano niet meer schoonmaakt maar liefkoost.*

47. BUITEN. PAD NAAR BAINES' HUT. DAG.

Op het pad naar het huis van BAINES *zitten* ADA *en* FLORA *in het oerwoud.* ADA *heeft haar hoofd gebogen. Ze houdt haar handen voor haar gezicht.* FLORA *probeert de lichtvlekjes, die door het dikke bladerdak flikkeren, in haar hand te vangen.*

48. BUITEN/BINNEN. BAINES' HUT. DAG.

De deur gaat open. ADA *en* FLORA *staan ervoor met hun cape om en hun muts op.*

FLORA: Moeder zegt dat ze onmogelijk les kan geven op een ongestemde piano. Daarom moet ik toonladders spelen.

ADA *draait zich om en loopt weg.* FLORA *loopt ijverig naar binnen.* BAINES *observeert* ADA *door het raam.*

FLORA: Ik hoop dat u uw handen hebt geschrobt.

FLORA *begint een toonladder.*

O, hij is gestemd.

Ze kijkt naar BAINES, *die nog steeds uit het raam staart.*

FLORA: Wat is er buiten?

Ze staat op om te zien waar BAINES *naar kijkt. Ze ziet haar moeder en veronderstelt dat* BAINES *nergens naar kijkt.*

FLORA: U moet kijken waar ik mijn vingers zet.

FLORA *begint opnieuw.* ADA *kan de piano maar vaag horen, maar ze komt dichterbij als ook zij hoort dat hij gestemd is.*

Als ze de hut binnenkomt, haalt BAINES *zijn vingers van de piano.* FLORA *ziet het en stopt ook. Ze kijkt naar haar moeder.*

FLORA: Hij is gestemd.

ADA *controleert de andere tonen.* FLORA *staat met haar armen over elkaar geslagen, enigszins bokkig en verontwaardigd.*

FLORA (*Sissend.*): Ik gaf les.

ADA *probeert de piano. Ze kijkt naar* BAINES, *en gebaart vervolgens naar* FLORA.

FLORA: Ze wil zien wat u kunt.

BAINES: Ik speel liever niet. Ik wil luisteren en op die manier leren.

FLORA: Iedereen moet oefenen.

BAINES: Ik wil alleen maar luisteren.

ADA *is lichtelijk verbaasd. Ze wil niet lesgeven en ze wil evenmin dat iemand naar haar luistert. Ze trekt aan een pluk haar, dan gebaart ze naar* FLORA.

FLORA: Wat wilt u horen?

BAINES *haalt verlegen zijn schouders op en kijkt weg, uit het raam. Hij weet het niet.*

BAINES: Het geeft niet wat.

ADA *begint langzaam. Onwillig als altijd speelt ze toonladders. Maar eenmaal begonnen verdwijnt haar strijdlust als ze meer en meer in de muziek opgaat.*

49. BINNEN. STEWARTS HUT/ADA'S SLAAPKAMER. AVOND.
Weer in de hut van STEWART *ligt* ADA *mistroostig op het bed.* FLORA *ligt naast haar en houdt haar hand vast.*

FLORA: Vertel eens over mijn echte vader, vertel dat verhaal eens.

ADA *gebaart.*

Ach, vertel het nog eens. Was hij je leraar?

ADA *knikt en strijkt* FLORA*'s haar uit haar gezicht.* FLORA *gaat op haar rug liggen.*

Hoe praatte je met hem?

ADA *gebaart naar* FLORA, *die toekijkt, dol op alle verhalen over haar echte en onechte vader.*

ADA: [*Ondertiteld*: Ik hoefde niet te praten, ik kon gedachten in zijn hoofd leggen als een vel papier.]

FLORA: Wat is er gebeurd? Waarom zijn jullie niet getrouwd?

ADA *gebaart en gebaart, haar handen veroorzaken grillige, dierachtige schaduwen op de met krantepapier behangen wanden.*

ADA (*voortdurend.*): [*Ondertiteld*: Na een poosje werd hij bang en luisterde hij niet meer.]

FLORA (*In gebaren.*): En toen ben ik geboren?

ADA *knikt.*

FLORA (*Sprekend.*): En hij werd weggejaagd. Ik geloof...

ADA *legt haar hand op* FLORA*'s mond;* FLORA *neemt de hand weg en kromt zich eromheen als om een kussen.*

Ik geloof dat hij ons nu overal op aarde, over de rode zee zoekt.

STEWART *komt hun slaapkamer binnen.* FLORA *stopt en* ADA *gaat tegen de muur staan.* STEWART *vindt de sfeer eigenaardig, maar ondoorgrondelijk.*

STEWART: Zal ik je een nachtkus geven?

FLORA *kijkt op naar haar moeder.* ADA *haalt haar schouders op.*

STEWART *knikt stijfjes; hij loopt verlegen weg.*

50. BUITEN. BAINES' VERANDA. DAG.

Het giet van de regen. FLORA *zit op de smalle veranda voor* BAINES*' hut met haar benen recht voor zich uit in de regen. Ze speelt een onbarmhartig machtsspel met de hond, die ze met een stok onder de veranda uit jaagt.*

51. BINNEN. BAINES' HUT. DAG.

ADA*'s pianospel is te horen.* BAINES *zit achterovergeleund naar* ADA *te kijken. Op de vloer onder haar druipende cape, die aan de haak hangt, ligt een plasje water en onder de zoom van haar rok heeft zich een kring van druppels gevormd. Ze gaat geheel in haar spel op, net als eerder op het strand.*

BAINES *kijkt toe. Haar lange, blanke hals, nu nat van de regen, blijkt onweerstaanbaar. Hij loopt door de kamer naar haar toe en kust haar.* ADA *springt op en maakt aanstalten om te vertrekken.* BAINES *gaat voor de deur staan.*

BAINES: Weet je wat onderhandelen is? Knik als je het weet.

Ze verroert zich niet.

Er is een manier om je piano terug te krijgen. Wil je hem terug? ...Je wilt hem terug?

ADA *kijkt hem wantrouwig aan.*

BAINES: Zie je, ik wil je een voorstel doen. Er zijn dingen die ik wil doen terwijl jij speelt. Als je dat toelaat, kun je hem terugverdienen.

Wat vind je, één bezoek voor elke toets?

ADA *is gespannen, maar ze denkt erover na. Ze houdt een vinger op en wijst dan naar het zwart van haar jurk.*

BAINES: Je jurk?

ADA *schudt haar hoofd.*

Rok...?

Ze loopt naar haar piano en wijst naar een zwarte toets.

Voor elke zwarte?

ADA *draait zich om, heft haar hoofd en knikt.*

Dat is veel minder, de helft.

BAINES *telt de toetsen.* ADA *loopt naar de voordeur.*
Goed dan, de zwarte toetsen.
Ze gaat weer aan de piano zitten. Ze slaat de laagste zwarte toets aan alsof ze 'nummer één' wil zeggen.
Ze haalt haar handen van de piano af en wacht.
Ik heb liever dat je speelt.
Gehoorzaam begint ze, maar ze houdt abrupt, verontwaardigd op als hij haar hals aanraakt.
BAINES: Speel... Speel door.
Na een ogenblik begint ze weer te spelen.

52. BUITEN. BAINES' VERANDA. DAG.
Buiten wiegt FLORA *de arme, in verwarring gebrachte hond en vraagt hem welke wrede, gemene man hem de kou en de regen in heeft gestuurd.*

53. BUITEN. RIVIERKOLK BIJ BAINES' HUT. DAG.
BAINES *neemt een bad in een kolk in de rivier. Een groep Maori's kijkt toe, nu eens zeer ernstig, dan weer geamuseerd. Ze geven elkaar zijn kleren door, passen ze aan en doen hem na. Een van de oudere vrouwen,* HIRA, *zit gehurkt op de oever en stelt hem continu vragen. Ze is ontspannen, maar geconcentreerd en vasthoudend. Ze rookt een pijp.*
HIRA: Ik heb de goede vrouw voor je, *Peini.* Bidt goed. Schoon. Leest bijbel. Jij slaapt haar, *Peini.* Zij dochter van hoofdman.
BAINES: Nee, geen bijbellezers.
BAINES *gaat goedmoedig door met zich wassen.*
HIRA: Waarom? Wij hebben jouw *pakeha* knap nodig. Jij slaapt haar.
TAHU (*Een grote man met vrouwenkleren aan.*): (*Achtergrond.*) Ik geef haar genoeg knap. (*Maakt obscene gebaren.*)
BAINES: Ik heb al een vrouw.
TAHU (*Overdreven.*): Ik geef haar knap, hè *Peini.* Halleluja!

HIRA: Niet antwoorden, hij grof. Kijk maar, 't mormel. Je vrouw, waar is ze?
BAINES: Ze leidt haar eigen leven in New Jersey in Amerika.
HIRA: Jij hebt reservevrouw hier, *Peini*. Daar krijg je *mana* voor. Onze hoofdman, hij vier vrouwen.
BAINES *schudt geamuseerd zijn hoofd. Als hij uit het water komt, geeft* HIRA *hem een tik.*
Ik trouw met witte man, *Peini*, hij walvisjager net als jij. Hij heel goed voor mij. Houdt van mij, zorgt voor mij.
HIRA *wijst op haar eigen gezicht de plek aan waar* BAINES' *tatoeage zit.*
HIRA: Wie doet dat? Niet af, niet goed, *Peini*. Jij afmaken!
Enkele mensen op de oever kammen om beurten hun haar, kijkend in een stukje spiegel.

54. BUITEN/BINNEN. BAINES' HUT. DAG.
BAINES' *hond hoort* ADA *en* FLORA *naderen. Hij vlucht onder het huis.* FLORA *roept de hond. Hij houdt zich goed verborgen.* ADA *is naar binnen gegaan en de deur is dicht.* FLORA *staat voor de deur, buitengesloten en alleen. Ze klopt.* BAINES *doet open.*
FLORA (*Klein stemmetje.*): Ik wil mijn moeder spreken.
Ze verbergt haar gezicht in de rok van haar moeder.
Ik wil niet buiten blijven, ik wil kijken.
ADA *gebaart naar* FLORA.
Ik zal heel stil zijn.
ADA *brengt haar naar de deur en gebaart.*
Ik kijk niet naar hem!
FLORA *wordt buitengesloten.*

55. BINNEN. BAINES' HUT. DAG.
ADA *zit aan de piano. Ze is verlegen en nerveus. Ze draait zich om naar* BAINES, *die knikt.* ADA *begint te spelen.* BAINES

houdt zijn hoofd gebogen, maar als haar spel zekerder wordt, heft hij zijn hoofd op om toe te kijken. Hij zit in een andere hoek van de kamer en geniet kennelijk van de aanblik van deze vrouw aan haar piano.

Na een tijd trekt BAINES, *ontroerd door de muziek, zijn stoel dichter bij haar, aan de andere kant van haar.* ADA *kijkt even op als ze hem achter zich langs voelt gaan. Hij lijkt tevreden met toekijken. Zijn aandacht richt zich uiteindelijk op haar hals, die nu eens naar de piano toe neigt, dan weer omhoogkomt.*

Weer verplaatst hij zijn stoel, achterlangs naar de andere kant van de piano. Onderwijl kijkt ADA *waakzaam toe. Vanuit deze positie probeert hij haar niet aan te raken, hij kijkt alleen, genietend van haar vingers die over de toetsen bewegen en van de lichte uitdrukkingen van emotie op haar gezicht. Tweemaal sluit hij zijn ogen en ademt hij diep in.* BAINES *ondergaat een ongekend gevoel van waardering en wellust. Als zijn ogen dicht zijn, kijkt* ADA *nieuwsgierig en wantrouwend naar hem.*

56. BINNEN. SCHOOLLOKAAL. DAG.

FLORA *staat op een keukenstoel.* TANTE MORAG *en* NESSIE *waren bezig* FLORA *een lijfje en engelenvleugels van ijzerdraad aan te passen, maar zijn nu gestopt. Ze proberen de handgebaren te leren terwijl* FLORA *in gebarentaal zegt:*

'Ik zal goed luisteren bij de repetitie, want ik woon te ver weg om vaak te komen.'

TANTE MORAG (*Achterdochtig.*): Welk gebaar is het woord repetitie?

FLORA *doet het bedreven voor.*

TANTE MORAG: Ik kan me geen erger lot voorstellen dan stom te zijn. Draai je om.

NESSIE: Doof zijn?

TANTE MORAG: O ja, of doof – *afschuwelijk! Vreselijk!*

FLORA: Om u de waarheid te zeggen, mama zegt dat de

meeste mensen onzin verkopen en dat het niet de moeite waard is te luisteren.

TANTE MORAG *en* NESSIE *kijken elkaar aan.*

TANTE MORAG (*Stijfjes.*): Nou, dat is wel een uitgesproken mening.

FLORA: Ja, en verdorven.

57. BINNEN. BAINES' HUT. DAG.

ADA *verwijdert schielijk een vuil bord en een kopje die nog op de piano staan.* BAINES *zit bij het raam met zijn elleboog op de vensterbank en zijn hoofd afgewend.*

BAINES: Trek je rok op.

ADA *houdt op met spelen. Ze draait zich naar hem om. Ze denkt erover na, dan trekt ze langzaam haar rok een klein stukje op waardoor haar rijglaarzen zichtbaar worden.*

Hoger.

ADA *trekt de rokken nog iets op zodat de rand van haar rijglaarsjes te zien is.* BAINES *knikt.* ADA *begint weer te spelen, niet meer zo zeker als eerst.* BAINES *komt naderbij, hij knielt om haar voeten op de pedalen te zien.*

BAINES: Hoger.

ADA *hoort hem niet.*

Nog hoger.

Ze stopt en trekt haar rok tot boven haar knieën. Ze kijkt vol nauw verholen minachting op BAINES *neer.* BAINES *is betoverd door haar benen, althans door wat hij ervan kan zien. Hij schuift weg om ze van achteren te bekijken. Hij ligt op de grond met zijn hoofd op zijn arm.* ADA*'s slanke, gekouste benen bewerken de pedalen; in een van de kousen zit een gaatje waardoor haar blanke huid te zien is.*

58. BUITEN. MISSIEPOST. SCHEMERING.

Voor de missiepost houdt HENI *het paard van* STEWART *vast. In de nachtlucht slaat de damp van de natte vacht, zodat het hele paard glanst.* HENI *praat er zachtjes tegen in het Maori.*

59. BINNEN. MISSIEPOST. AVOND.

Binnen kijken STEWART, TANTE MORAG *en* NESSIE *nauwlettend toe terwijl de* PASTOOR *de vorm van een bijl uit een stuk gemarmerd karton knipt. Een flakkerende lamp werpt een warm licht op hun gezichten, terwijl de rest van de kamer donker is, wat een samenzweerderige sfeer schept.*

PASTOOR: Nessie, steek je hand eens uit... hier, alsjeblieft.

NESSIE: O nee, neem Stewart maar, ik kan niet acteren.

PASTOOR: Alsjeblieft, Nessie.

NESSIE *steekt haar arm aarzelend naar hem uit en de* PASTOOR *maakt een halve meter voor haar een hakbeweging.* NESSIE *kijkt verwonderd naar* TANTE MORAG.

PASTOOR: Kijk, je wordt aangevallen!

De PASTOOR *wijst naar de tegenoverliggende wand met rozenbehang, waarop de schaduw van hem en van de kartonnen bijl een realistische indruk maken, zoals ze de ineenkrimpende* NESSIE *bedreigen en op haar inhakken.* NESSIE *gilt, en* MARY *ook.*

PASTOOR: En met het bloed... geeft dat een mooi effect.

60. BINNEN. BAINES' HUT. DAG.

ADA*'s vinger drukt de vierde zwarte toets van links in om les vier aan te duiden.*

BAINES: Maak je kleren los. Dit gedeelte – (*Hij wijst de bovenkant aan.*) Ik wil je armen zien.

ADA *is verrast. Ze blijft even stilzitten, twijfelend of ze zal meewerken, maar dan begint ze langzaam de knopen los te maken.*

ADA *trekt haar armen uit de nauwe mouwen. Eronder draagt ze een versleten lijfje. Haar armen zijn zo blank dat ze doorzichtig lijken. Een teer web van blauwgroene aderen tekent zich af op de zachte onderkant van haar armen. Een donkere pluk haar in haar oksel suggereert een schemerige*

diepte. De ruggen van haar handen, anders altijd blank, lijken daarbij bruingebrand.
BAINES: Speel.
BAINES *trekt zijn stoel bij. Voorzichtig legt hij zijn hand tegen de zachte onderkant van haar arm.* ADA *verstrakt en trekt haar arm terug. Hij grijpt de arm beet.*
Twee toetsen.
ADA *speelt verder. Langzaam verplaatst hij zijn hand naar haar schouder. Duidelijk nerveus gaat ze over op een vlotte, bijna komische melodie.* BAINES *voelt zich opeens belachelijk, zijn stemming slaat om. Hij haalt zijn hand weg en gaat gekwetst terug naar het raam.* ADA *zegeviert, ze is blij dat ze enig respijt heeft gekregen.*

61. BUITEN. STEWARTS HOUTBLOK. DAG.
STEWART *staat bij het houtblok te praten met* TANTE MORAG *en* NESSIE. MARY *en* HENI, *de Maori-meisjes van* TANTE MORAG, *hebben zich onder een boom uitgestrekt.*
TANTE MORAG: Jou hoef ik er eigenlijk geen te geven, maar hier heb je er toch een.
NESSIE *heeft staan rommelen in een mandje met uitnodigingen; als ze die voor* STEWART *vindt, geeft ze deze aan* TANTE MORAG, *die de uitnodiging aan* STEWART *geeft.*
Kom wel op tijd. Je ziet dat er twee tijden zijn en omdat je met een van de spelers komt, moet je de vroegste tijd aanhouden...
STEWART *luistert niet meer; hij kijkt naar* ADA *en* FLORA, *die zich voorzichtig tussen de gevallen houtblokken door naar het pad naar* BAINES *begeven.*
STEWART: Wacht.
De twee vrouwen blijven staan. Ze tonen STEWART *een Japans soort onderdanigheid.*
STEWART: Hoe gaat het met de lessen?
ADA *knikt enthousiast.*
Maakt hij vorderingen?

ADA *knikt opnieuw.*

Mooi zo.

TANTE MORAG: Dat is mooi, ja.

Als ADA *doorloopt, buigt* TANTE MORAG *zich naar* STEWART *toe.*

Ze lijkt wat rustiger. Is ze meer toegenegen?

STEWART *kijkt hen na, niet in staat te antwoorden.*

TANTE MORAG: Nou ja, langzaam, langzaam... Mary, Heni...

Maar ze verroeren zich niet.

NESSIE: Zal ik ze kietelen?

TANTE MORAG: Ja, probeer dat eens.

62. BINNEN. BAINES' HUT. DAG.

BAINES *zet een stoel tegen de deur, terwijl* ADA *haar jasje uittrekt. Ze gaat aan de piano zitten met haar armen om zich heen geslagen vanwege de kou. In het voorbijgaan stoot* BAINES *het jasje van de stoelleuning. Hij raapt het op en neemt het mee naar zijn stoel bij het raam.*

BAINES *knikt en* ADA *begint te spelen.* BAINES *betast het nog warme jasje, brengt het naar zijn gezicht en ruikt eraan.* ADA *draait zich om en stopt met spelen, opeens geschokt door zijn vreemde, sensuele genotzucht. Ze houdt haar hand op om het jasje op te eisen, haar gezichtsuitdrukking is streng en veroordelend. Ze beduidt dat hij het moet terugleggen op de stoelleuning.* BAINES *negeert haar.* ADA *staat op en loopt naar* BAINES *toe. Ze rukt het jasje uit zijn handen en legt het over de stoelleuning, maar als ze weer gaat zitten, staat* BAINES *bij haar. Hij trekt de mouwtjes van het lijfje omlaag, waardoor haar schouders en een deel van haar borst ontbloot worden.* ADA *staat onmiddellijk op, maar* BAINES *is veel sterker en trekt haar ruw mee naar het bed.* ADA *verzet zich hevig; dit is veel, veel meer dan ze verwachtte.*

BAINES: Ada, vier toetsen.

ADA *houdt vijf vingers op en vormt met haar mond het woord 'vijf'.*

Ik wil alleen maar liggen.

ADA *schudt heftig haar hoofd en vormt weer het woord 'vijf'.*

Goed dan, vijf.

ADA *geeft haar verzet op. Ze is stijf en star.* BAINES, *verrukt van de geur en aanwezigheid van haar huid, wordt zacht en teder. Hij kust en betast haar geëmotioneerd en liefdevol. Plotseling wordt hij zich echter bewust van haar starheid en verstart ook hij. Hij komt overeind om te zien of haar gezicht haar gevoelens verraadt.* ADA *neemt de gelegenheid te baat om terug te keren naar de twijfelachtige veiligheid van haar piano. Vanaf het bed kijkt* BAINES *toe terwijl zij een hand geluidloos over de glimmende, ivoren toetsen laat gaan, een gebaar dat een liefde verraadt die hem nooit wordt betoond.* BAINES *staat op. Hij klapt de piano dicht,* ADA *dwingend haar hand weg te halen.*

ADA *staat onmiddellijk op en kleedt zich aan, waarmee ze krenkend aangeeft dat het* BAINES*' piano is.*

63. BUITEN. STEWARTS HUT. ZONSONDERGANG.

Een gouden namiddag. STEWART *staat in zijn mooiste hemd en broek paard en wagen klaar te maken.*

64. BINNEN. STEWARTS HUT/ADA'S SLAAPKAMER. ZONSONDERGANG.

Binnen staat FLORA *in haar voltooide engelenpakje; ze zingt zachtjes voor zich uit, terwijl* ADA *de lange vlechten losmaakt en van elkaar houdt om ze te kammen.*

FLORA: *The Holly and the Ivy...*

STEWART *komt binnen om zijn jas aan te trekken, maar de kraag zit binnenstebuiten.* ADA *trekt hem automatisch voor hem recht rond zijn hals. Haar aanraking, praktisch bedoeld, grijpt hem op een merkwaardige manier aan. In een hartstochtelijke opwelling, hoffelijk bedoeld, probeert hij*

ADA's *vingertoppen te kussen. Het gebaar stokt als* ADA *verrast terugdeinst.*

65. BUITEN. SCHOOLLOKAAL. SCHEMERING.
Mensen arriveren bij het schoollokaal.[10] *Eén familie wordt in een kruiwagen door de modder vervoerd.*

66. BINNEN. SCHOOLLOKAAL. AVOND.
Er zitten al mensen in de zaal. Er zijn nog meer engelen gearriveerd, die net als FLORA *achter het toneel worden gebracht.*

67. BINNEN. ZAAL/COULISSEN. AVOND.
Achter de coulissen verzamelt de zondagsschoollerares de kinderen om zich heen, herinnert hen aan de volgorde van de liedjes, inspecteert hun kapsel, enz. De plaatselijke toneelvereniging maakt zich ook klaar. Een van de vrouwen gluurt door een gat in een geïmproviseerd gordijn om te zien hoe de stadsmensen plaatsnemen.
VROUW: Ze brengen extra stoelen binnen!
Desondanks kunnen er maar maximaal veertig mensen in, onder wie een stuk of tien MAORI'S *in hun mooiste Europeaanse kleren.*
ANDERE VROUW: Lieve hemel, steek mijn haar niet te hoog op, Alfred!
WEER EEN ANDERE: Ja, ook bij mij, hier zo ongeveer... (*Ze wijst Alfred waar.*)
Twee van de vrouwen brengen wat kleur aan op elk van de engeltjes, terwijl twee andere engeltjes een tik krijgen omdat ze hun witgehandschoende handen in de emmers met bloed hebben gestoken.

[10] zie noten, p. 129

68. BINNEN. SCHOOLLOKAAL. AVOND.

Iedereen zit met elkaar te kletsen, behalve de MAORI'S, *die plechtig zitten te wachten.* TANTE MORAG *wijst waar de nieuwe stoelen moeten worden geplaatst.* BAINES *komt binnen.*

MAN: Kijk eens aan, de muzikale heer Baines... Wat wordt het vanavond, George... 'Hoedje van papier?'

BAINES *glimlacht en knippert met zijn ogen; het geplaag duurt voort terwijl* BAINES *in de zaal rondkijkt op zoek naar* ADA. *Twee* MAORI'S *hebben samen één paar schoenen, zodat maar een van beiden in de zaal kan zijn terwijl de andere blootsvoets buiten wacht.*

ANDERE MAN: 'Ik zag twee beren' of een polka, nou George, wat wordt het?

TANTE MORAG *komt op* BAINES *af en duwt hem voor zich uit in de richting van* NESSIE *en de piano.*

TANTE MORAG: Meneer Baines, wilt u alstublieft de bladzijden omslaan...

BAINES *kijkt wanhopig om zich heen op zoek naar een uitweg.*

BAINES: ...Ik kan geen muziek lezen, ik ben pas net begonnen.

BAINES *deinst terug van* NESSIE, *die diep teleurgesteld kijkt. Hij heeft* ADA *ontdekt en wil graag bij haar in de buurt zitten. Hij gaat één plaats van haar af zitten, glimlachend en knipperend met zijn ogen. Het geplaag achter hem houdt aan.*

STEWART (*Draait zich om.*): Stel idioten. Kom, schuif nog eentje op.

ADA *legt haar hand op de zitting en schudt haar hoofd, beduidend dat ze die stoel voor* FLORA *wil reserveren.* BAINES *voelt zich afgewezen en kijkt naar* ADA, *die hem negeert.*

De grote lichten gaan uit en iedereen keert terug naar zijn plaats. In het donker neemt STEWART *verlegen* ADA*'s hand in de zijne.* BAINES *ziet hoe* STEWART *haar hand drukt;*

hij staat onbeheerst op en vertrekt, onder een koor van gesis. Tevreden kijkt ADA *hem na.*

De kinderen komen een voor een met hun kaarsje op. Ze staan samen zeer ernstig te zingen, maar van verlegenheid zijn hun stemmetjes zo iel dat ze amper te horen zijn.

– Harder zingen, Billy!

– Toe maar, harder!

Een van de kleinste begint prompt te plassen. Onder het gordijn verschijnt een arm die het toneel schoonveegt.

69. BINNEN. SCHOOLLOKAAL EN COULISSEN. AVOND.

Achter de schermen is alles gereed voor de belangrijkste gebeurtenis. Er lijken meer kijkgaatjes dan gordijn te zijn als de ogen tegen het doek worden gedrukt. De ceremoniemeester, de PASTOOR, *staat op het toneel en vertelt het verhaal. Hij draagt een harlekijnspak en zijn gezicht is theatraal wit geschminkt. De kaarsen worden uitgeblazen.*

PASTOOR: En zo ontdekte de jonge maagd elk van Blauwbaards verdwenen vrouwen; hun afgehakte hoofden dropen nog van het bloed en uit hun ogen stroomden de tranen.

De pianobegeleiding bouwt de spanning op, terwijl het publiek waarderend gilt. Achter de schermen zorgt TANTE MORAG *voor het druipende bloed; terwijl ze heen en weer loopt tussen de lijken, gluurt ze even door een kijkgat in het gordijn naar het publiek.*

PASTOOR: Maar wie hebben we daar? (TANTE MORAG *kijkt, toch nog verrast, naar adem happend om zich heen.*)

Een luide, geïmproviseerde knal van een deur en zware voetstappen. NESSIE, *in kostuum, verstart. De schaduw van Blauwbaard komt log van de kartonnen trap en beweegt zich door de gang.*

BLAUWBAARD: Ik ben vroeg thuisgekomen, lieve vrouw... waar zijt ge?

Het meisje kruipt over de vloer op zoek naar de gevallen sleutel en in silhouet is te zien hoe ze uit de kast de gang instapt.
JONGE ECHTGENOTE: Dag lieve man, wat een verrassing!
BLAUWBAARD: Nou en of, vrouw! Dus nu weet je mijn geheim, jij, de liefste en jongste van al mijn echtgenotes, je moet je erop voorbereiden je plaats in te nemen.
BLAUWBAARD *haalt een kartonnen bijl te voorschijn en komt op haar af. Twee jonge krijgers uit het gezelschap van* HOOFDMAN NIHE *komen overeind.*

Aue! Ha aha ra tenei?
[*Ondertiteld*: Hé! Wat is dat?]
E Nihe, E Nihe he Kohuru, he kohuru?
[*Ondertiteld*: Nihe, Nihe, is dat moord?]

NIHE *gebaart dat ze moeten gaan zitten, maar ze zijn ontsteld en gaan maar half zitten. De anderen kijken bezorgd van* NIHE *naar het toneel.*
NIHE (*Lacht om hen.*): *E te whanau keite pai-he takaro tenei.*
[*Ondertiteld*: Het is in orde, het is maar een spel.]
BLAUWBAARD *komt dichterbij; de jonge echtgenote valt op haar knieën, haar handen smekend opgeheven.*
JONGE ECHTGENOTE: Nee, nee, wacht!
BLAUWBAARD: Ik wacht niet. Ontbloot je hals.
Terwijl BLAUWBAARD *zijn bijl weer heft, springt eerst de ene en dan de andere krijger naar voren onder het brullen van een woeste strijdkreet. Ze rennen tussen het publiek door, dat naar weerskanten vlucht, terwijl de lijken tot leven komen.*

Kia hiwara! Kia hiwara!
[*Ondertiteld*: Op uw hoede! Zet u schrap!]
Pokokohua – whakaputa mai ia koe!
[*Ondertiteld*: Lafaard! Kom te voorschijn!]

Alleen NIHE *en zijn dochter, die een hoge zijden hoed draagt, blijven rustig op hun plaats zitten. De krijgers hebben* BLAUWBAARD *omsingeld. Hij staat te jammeren en houdt een paraplu als een speer boven zich.* NIHE *stampt met zijn stok en zijn luide stem schalt.*

NIHE: *Hoki mai! Hoki mai!*
[*Ondertiteld*: Kom terug! Kom terug!]

70. BINNEN. SCHOOLLOKAAL/COULISSEN. AVOND.
Achter de coulissen worden de HOOFDMAN *en zijn gezelschap de rekwisieten getoond; de emmer met bloed, de kartonnen bijl, de scheuren in de lakens.*

71. BINNEN. BAINES' HUT. DAG.
ADA *loopt naar de piano; ze is boos omdat* BAINES *er weer een bord op heeft laten staan.* BAINES *onderschept haar en stapt verscheidene malen tussen haar en de piano. Ze begrijpt het spelletje en blijft staan. Hij doet een stap opzij. Ze haalt het bord weg en boent liefdevol het oppervlak eronder. In* BAINES*' blik op haar ligt een soort trieste ergernis.*
BAINES: Ik wacht al een hele tijd. Je bent erg laat.
ADA *begint te spelen;* BAINES *kijkt toe, dan kijkt hij weg.*
BAINES: Ik wil niet dat je speelt. Ik wil alleen maar dat je daar zit.
ADA *blijft spelen tot ze klaar is. Zonder hem aan te kijken houdt ze twee vingers tegen de piano.*
BAINES (*Kwaad.*): Nee, geen twee toetsen.
ADA *begint weer te spelen;* BAINES *voelt zich machteloos. Hij bewondert haar liefde voor de piano niet meer, hij is jaloers.*
BAINES (*Schreeuwt.*): Goed dan, twee toetsen!
Ze houdt op met spelen. Er schuilt iets laatdunkends of onverschilligs in haar blik op BAINES. *Hij trekt haar stoel weg van de piano. Dit schokt haar, omdat haar zelfvertrouwen voor een groot deel verbonden is met het instrument.* BAINES *kust haar hartstochtelijk op de mond.* ADA *deinst terug,* BAINES *houdt vol, hij is in een wanhopige en romantische stemming.*

72. BUITEN. VOET VAN EEN BEBOSTE HEUVEL. DAG.
STEWART *spreekt met* BAINES *als tolk met een groep* MAORI'S *aan de voet van een beboste heuvel. De* MAORI'S *zitten achter*

een klein model van de heuvel, gemaakt van twijgjes op de grond. De sfeer is gespannen.

MAORI-ONDERHANDELAAR (*Wijst naar de plaatsen.*): *Nga awa kau kau, nga ana koiwi o matou matua tuupuna; kei runga katoa i te whenua nei korerongia atu ki te tangata na e Peini.*

[*Ondertiteld*: Het water om te baden, de grotten, dat huis, de resten van onze voorouders behoren allemaal tot dit land. Leg de man dat uit, Baines.]

STEWART (*Mompelt tegen* BAINES *door de woorden van de onderhandelaar heen.*): Wat zeggen ze? Willen ze het verkopen? Biedt de dekens aan voor de helft van het land.

STEWART *houdt zijn tien vingers op en dan nog twee.*

STEWART: T-w-a-a-l-f.

BAINES: *Te, kaumarua paraikete mo te tahi hāwhe o te whenua nei.* [Hij geeft jullie twaalf dekens voor de helft van het land.]

De MAORI'S *onderzoeken kritisch de kwaliteit van de dekens, lettend op de dikte van het weefsel en de sterkte van de wol. Terwijl ze dat bespreken, schudden ze hun hoofd.*

STEWART (*Zachtjes tegen* BAINES.): En de geweren?

BAINES: *Kei te hiahia pu koutou.*

[Hij biedt ook geweren.]

ONDERHANDELAAR: *Kahore atu he kororo. Kahore matou Kote hoko whenua. Engari mo te poaka ae.*

[*Ondertiteld*: Genoeg gepraat. We verkopen het land niet. We willen wel varkens ruilen, meer niet.]

Al pratend gooit hij de twijgjes door elkaar.

KWADE MAORI (*Kwaad tegen de* ONDERHANDELAAR.): *He aha te pononga o te whenua pena kahore he pu hei pupuri?*

[*Ondertiteld*: Wat heeft het voor zin land te bezitten als we geen geweren hebben om het te beschermen?]

De ONDERHANDELAAR *staat op om weg te gaan, de anderen staan ook op.* STEWART *grist zijn dekens terug en schudt ze chagrijnig uit om ze op te vouwen.*

BAINES: *E hoa ma, haria atu ra taku kia Nihe.*
[Groet hoofdman Nihe voor me.]
ONDERHANDELAAR (*Anderen vallen hem bij.*): *Ae ra! Kia Ora! Kia Ora! Te Peini.*
[Ja, natuurlijk! Dank je wel. Dank je wel, Peini.]

73. BUITEN. OERWOUD BIJ DE NIEUWE GRENSPALEN. DAG.
BAINES *en* STEWART *lopen door het oerwoud,* STEWART *gebukt onder zijn dekens, rood aangelopen en geïrriteerd.*
STEWART: Waarom willen ze het houden? Ze bebouwen het niet, branden het niet af, niks. Hoe weten ze eigenlijk dat het van hen is...?
BAINES *blijft staan als hij bij een pasgeplaatste hekpaal komt.* STEWART *houdt op met klagen en kijkt bezorgd naar* BAINES. BAINES *loopt naar de volgende en raakt de pasgekloofde paal aan.*
STEWART (*Onzeker.*): Ik kon het evengoed afgrenzen, dacht ik.
BAINES: Ja, waarom niet?
STEWART: Ada zegt dat je vorderingen maakt met de piano?
BAINES: O ja, het gaat wel. (*Loopt naar de volgende paal.*) Je hebt hard gewerkt.
STEWART: Heel wat anders dan er een beetje op los pingelen, hè?
BAINES *loopt van de ene paal naar de volgende.*
STEWART: Ik moet eens naar je komen luisteren. Zing je ook? Ik houd van liedjes. Wat speel je?
BAINES: Nog niets.
STEWART: Nee. Ach, het kost tijd, neem ik aan. Wat doe je dan, alleen maar toonladders?

74. BUITEN. STEWARTS MOESTUIN. DAG.
ADA *heeft een flinke kool in de moestuin afgesneden. Ze gooit hem naar* FLORA, *die hem mist en in een plas modder laat*

vallen, zodat de spetters op haar gezicht en jurk zitten. ADA *glimlacht en* FLORA, *die al bijna wilde gaan huilen, schopt de kool hard naar haar moeder.* ADA*'s mond valt open, maar dan geeft zij er ook een schop tegen en ze beginnen de met modder overdekte kool al schoppend naar de hut te rollen; onderwijl maken ze speels beledigende gebaren. Op dat moment arriveert* STEWART.

STEWART: Baines kan nog geen barst spelen. Klopt dat, kan hij niets spelen?

Straks raken we dat land nog kwijt, hij bleef er maar over doorzeuren.

Is hij muzikaal? Je moet hem een liedje leren. Iets eenvoudigs.

FLORA *staat met haar voet op de kool, die ze achter zich probeert te manoeuvreren. Hij rolt de helling af. Dat kan* STEWART *niet ontgaan.*

STEWART: Wat is dat?

Hij gaat de kool achterna de helling af en schraapt de modder er een beetje af.

Dat ding is helemaal aan gort.

75. BINNEN/BUITEN. BAINES' HUT. DAG.

FLORA *is door* BAINES*' raam te zien. Binnen geeft* ADA *zoals altijd haar vorderingen op de zwarte toetsen aan, elf. Ze draait zich naar* BAINES *om voor instructies.* BAINES *is zichzelf niet, hij is somber en afstandelijk.*

BAINES: Doe maar wat je wilt. Speel wat je wilt.

ADA *verwondert zich over deze ommekeer in zijn gedrag. Ietwat onzeker begint ze te spelen. Na een poos draait ze zich om om te zien wat* BAINES *doet. Hij is er niet. Ze is verbaasd, dan ongerust, omdat ze vreest dat de ruil niet doorgaat, net nu er nog maar zo weinig toetsen over zijn. Ze begint weer te spelen, maar haar ongerustheid is te groot. Ze stopt en luistert. Ze kijkt uit het raam naar* FLORA, *die voor het huis staat te lummelen. Ze loopt naar zijn slaapkamer, luistert, opent de deur.* BAINES *staat naakt voor haar en kijkt haar aan.* ADA *is onthutst.*

BAINES: Ik wil bij je liggen zonder kleren aan. Hoeveel is dat?

ADA *houdt tien vingers op – een absurd hoog aantal toetsen.*

BAINES *knikt.*

ADA *is verrast; ze had niet verwacht dat hij ermee zou instemmen.* ADA *houdt voor de zekerheid haar handen nog eens op.*

BAINES: Ja, tien toetsen.

Aarzelend begint ze zich uit te kleden. Ze gaat op haar petticoat liggen, omdat ze het bed te vies vindt. BAINES *ligt doodstil op haar. Er is een schrapend geluid te horen.*

76. BUITEN/BINNEN. BAINES' HUT. DAG.

FLORA *loopt buiten over stokken en stammen en probeert niet met haar voeten op de grond te komen. Ze kijkt naar het huis, omdat ze opeens merkt dat het pianospel weer is opgehouden. Ze onderzoekt het raadsel, gluurt door de verschillende kieren en gaten in de slecht gebouwde hut. Het uitzicht bestaat telkens slechts uit delen van lichamen, de inzet is de uitdaging en haar nieuwsgierigheid.*

77. BUITEN. INHEEMS NAALDBOS. DAG.

FLORA *en drie kleine* MAORI-KINDEREN *spelen onder inheemse naaldbomen. Twee* MAORI-VROUWEN *zitten er vlakbij te roken en te praten. De kinderen wrijven hun lichaam tegen de boomstammen op en neer, terwijl ze de stam kussen en omhelzen. Het spel heeft een element van promiscuïteit, want ze verwisselen van boom en omhelzen met z'n allen één boom. Ongezien door de kinderen loopt* STEWART *op* FLORA *af. Hij trekt haar van de boom weg.*

STEWART: Doe dat nooit meer, nooit, nergens. Je hebt jezelf en die bomen te schande gemaakt.

De MAORI-VROUWEN *maken aanhoudend opmerkingen waarop hij niet reageert.*
MAORI-VROUWEN: – Hoe laat zegt meneer Stewart?
– *Ge Tupeka?*
[Heb je tabak?]
– Tijd voor puf puf.

78. BUITEN. INHEEMS NAALDBOS. DAG.
Met een emmer vol troebel zeepwater begint FLORA *de boomstammen te wassen.*
De MAORI-VROUWEN *lachen en wijzen naar hun voeten met de bedoeling dat ze die ook wast. Hun kinderen liggen in hun schoot met touwtjes te spelen.*

79. BUITEN. INHEEMS NAALDBOS. SCHEMERING.
FLORA *is nog steeds een boomstam aan het wassen; haar silhouet tekent zich af tegen de avondlijke hemel.* FLORA *huilt en heeft medelijden met zichzelf. Het nutteloze van het werk is nog duidelijker nu het is gaan regenen.* STEWART *inspecteert haar strafwerk. Ze volgt* STEWART *tussen de bomen.*
FLORA (*Pruilt.*): Ik weet waarom meneer Baines geen piano kan spelen.
STEWART: Je hebt dit stukje overgeslagen.
FLORA: Ze geeft hem nooit de beurt.
STEWART *blijft staan en kijkt haar aan.*
Ze speelt gewoon waar ze zin in heeft en soms speelt ze helemaal niet.
STEWART *loopt weer verder tussen de bomen door, langzamer nu.*
STEWART: En wanneer is de volgende les?
FLORA: Morgen.
FLORA *zet haar emmer op haar hoofd tegen de regen.*

80. BUITEN. PAD NAAR BAINES' HUT. DAG.
De volgende dag waait het hard; de boomkruinen worden heen en weer geschud door harde windstoten en enkele kleine takken vallen op de grond. ADA*'s lange rok en cape wapperen onstuitbaar in de wind.* FLORA*'s kleinere cape waait op. Vogels vliegen in een onstuimige, door de wind gedreven vlucht, ze zwieren omhoog en worden dan weer met een vreemd bocht omlaaggetrokken.*

81. BUITEN. BAINES' HUT. DAG.
ADA *en* FLORA *arriveren bij de hut van* BAINES *als de piano naar buiten wordt gedragen door zes* MAORI'S, *van wie er een niets doet, maar alleen meeloopt en onderwijl de toetsen aanslaat. Een ander groepje* MAORI'S *zit in kleermakershouding op de veranda te dammen. In paniek haast* ADA *zich van de helling af naar de hut.* FLORA *volgt haar.*

82. BINNEN. BAINES' HUT. DAG.
In de hut zit HIRA, *de oude vrouw van de kolk, haar pijp te roken.* ADA *komt binnen, ontdaan, en wijst naar wat ze heeft gezien. De straffe wind heeft een blos op haar wangen gebracht. Ze is veel expressiever dan anders.*
BAINES: Ik geef je de piano terug. Ik heb er genoeg van.
De regeling maakt van jou een hoer en maakt mij ongelukkig.
Ik wil dat je om me geeft, maar dat kun je niet.
BAINES *gaat op een stoel zitten en wil gaan eten; hij negeert* ADA *enigszins.* ADA *is in de war, ze kan de situatie niet helemaal bevatten. Ze kijkt* BAINES *aan in afwachting van een bevestiging.*
HIRA (*Zachtjes.*): George, mag ik deze kam gebruiken?
BAINES *knikt.* ADA *kijkt nog steeds.* HIRA *schraapt haar pijp schoon met de kam.*
BAINES: Hij is van jou, toe, ga weg!

ADA *is aangeslagen door deze verandering in zijn houding, maar ook verrast omdat ze niet weg wil.* FLORA *wil meteen gaan;* ADA *volgt om haar piano op zijn tocht te begeleiden en te beschermen.*

83. BUITEN. BAINES' HUT EN OERWOUD. DAG.
Als ze uit het kleine dal met de hut van BAINES *klimt, blijft ze staan en loopt ze terug om naar* BAINES *en zijn hut te kijken, exact zoals ze eerder naar haar piano keek vanaf de top van de klif boven het strand.* BAINES *gooit de resten van zijn maal naar de hond; hij kijkt niet op.*

84. BUITEN. PAD NAAR BAINES' HUT MET STEILE HELLING. DAG.
STEWART, *op weg naar* BAINES, *ziet de pianodragers en* ADA *ver beneden zich in het oerwoud. Hij klautert van een steile helling naar hen toe.*
STEWART (*Nog uit de verte.*): Blijf staan! Die is niet van jou... Wat doe je met de piano?
De vrouwen kijken elkaar aan.
FLORA: Hij heeft hem aan ons gegeven.
STEWART (*Buiten adem.*): Ha, je bent geslepen, Ada, maar ik heb je door, ik ben niet van plan het land op die manier kwijt te raken. Wacht hier!
STEWART *gaat ervandoor, met zware passen door het oerwoud.*

85. BUITEN/BINNEN. BAINES' HUT/SLAAPKAMER. DAG.
HIRA *zit op het trapje voor de hut van* BAINES *en verspert* STEWART *de weg.*
HIRA: George ziek, hij wil niemand spreken. Heb je *Tupeka* voor de Hira?
STEWART *loopt om naar een raam in de slaapkamer van* BAINES. BAINES *zit op het bed, maar gaat liggen als hij* STEWART *om het huis hoort lopen.*

STEWART *doet het raam open.*

STEWART: Ik vind dat je niet had moeten stoppen met de piano. Ik zal ervoor zorgen dat je fatsoenlijk les krijgt, met op blad geschreven muziek en...

BAINES: Ik wil het niet leren.

STEWART: Je wilt het niet leren.

BAINES: Nee.

STEWART: En wat betekent dat voor onze ruil? Ik kan me de piano niet veroorloven als je wilt dat ik ervoor betaal.

BAINES: Nee, je hoeft niet te betalen. Ik heb hem teruggegeven. Ik wil hem niet.

STEWART: Nou, ik weet niet of ik hem wel zo graag wil.

BAINES: Het was meer een gift aan je vrouw.

STEWART: O, dank je wel, ik veronderstel dat ze het zal waarderen.

Hij sluit het raam.

Dus dat is afgesproken?

BAINES *knikt.*

HIRA *is zwijgend* BAINES' *kamer binnengelopen. Ze gaat op de rand van zijn bed zitten.*

HIRA: Jij maakt GROOT fout, George. In eerste plaats moet je land voor vrouw ruilen. En kijk nou, zij weg, jij geen land, geen speeldoos, jij hebt niets.

86. BUITEN. STEWARTS HUT. DAG.

In de verte zoekt een kleine stoet pianodragers zijn weg tussen de enorme, spookachtige stronken door naar de hut van STEWART.

87. BUITEN/BINNEN. STEWARTS HUT. DAG.

Bij de deur van de hut deelt STEWART *knopen uit aan de pianodragers. Een van hen zit op zijn hurken en vangt de gevallen knopen op. Er ontstaat consternatie als een van de* MAORI'S *de hele pot grijpt en ermee wegrent. Twee van hen gaan hem achterna, terwijl de anderen tabak eisen.*[11]

In de hut heeft ADA *de klep van de piano opgetild en kijkt erin, terwijl ze speelt om de toonhoogte te controleren en de schade vast te stellen.*

STEWART: Is er iets mee mis? Ga je niet iets spelen?

ADA *trekt een stoel bij en gaat aan de piano zitten. Ze wrijft haar handen en legt ze lichtjes op het klavier; gewoontegetrouw kijkt ze over haar linkerschouder naar waar* STEWART *wacht met zijn armen over elkaar. Vlug trekt ze haar handen weg, ze gaat staan en beduidt* FLORA *te spelen.* FLORA *neemt trots plaats; ze perst haar lippen opeen, terwijl ze haar blijdschap omdat ze voor haar moeder en* STEWART *mag spelen, probeert in te houden.*

FLORA: Wat zal ik spelen?

Ze kijkt naar ADA, *die afwezig door haar heen kijkt.*

STEWART: Speel maar een mars.

FLORA (*Tegen* ADA.): Ken ik een mars?

STEWART: Speel anders een liedje...

FLORA *begint een liedje;* ADA *loopt langs hen heen de hut uit;* STEWART *negeert haar, gaat naar de piano en leunt erop. Door het raam van de hut is* ADA *te zien die tussen de spookachtige, geblakerde boomstronken dwaalt.* STEWART*s aandacht wordt getrokken door* ADA; *hij onderbreekt* FLORA*'s gezang met een plotselinge uitbarsting.*

STEWART (*Woedend.*): Waarom wil ze er niet op spelen? We hebben hem terug en zij loopt gewoon weg!

FLORA *stopt en kijkt door het raam naar haar moeder.* ADA *kijkt naar het huis als de muziek ophoudt.*

STEWART: Speel door!

STEWART *slaat bars de maat op de piano terwijl* FLORA *speelt.* ADA *loopt door met een somber en verbaasd gezicht. Ze blijft staan. Haar hoofd gaat houterig, onweerstaanbaar omhoog*

[11] zie noten, p. 130

en draait in de richting van BAINES' *hut. Ze tuurt in het oerwoud alsof ze een raadsel probeert te doorgronden. Ze knippert met haar ogen en loopt door.*

88. BINNEN. STEWARTS KEUKEN. DAG.
De volgende dag staan ADA *en haar piano in de keuken tegenover elkaar. Een smalle streep licht valt over de piano, waardoor het rossige walnotehout oplicht. De uitdrukking op* ADA*'s gezicht is kritisch en afstandelijk.*

Ze pakt een doek en begint de piano schoon te maken en op te wrijven. Met haar vinger drukt ze een van de toetsen in en we zien heel even een oude inscriptie aan de zijkant, een hartje, A pijl D. Ze legt de doek weg, neemt plaats voor de piano en gaat spelen.

Ze begint vol gevoel, met gesloten ogen, maar even later wordt ze verrast door een bewegende reflectie op de piano; ze schrikt en kijkt over haar schouder. Ze stopt en begint opnieuw. Maar weer kijkt ze in een reflex over haar linkerschouder en ze staakt haar spel. Onrustig begint ze opnieuw en opnieuw kijkt ze weg. Ze stopt, verward, niet in staat verder te gaan, niet in staat op te staan, met een hand op de klep en een op de toetsen van de piano.

89. BUITEN. PAD NAAR BAINES' HUT. DAG.
ADA, *met haar cape om en haar muts op, haast zich over het smalle bospad naar* BAINES' *hut;* FLORA *houdt een punt van haar rok in haar vuist en trekt haar terug.* ADA *draait zich om naar* FLORA *en rukt haar rok uit de hand van het meisje.*
ADA *gebaart naar* FLORA *en loopt door.*
FLORA: Waarom? Waarom mag het niet?
ADA *gebaart opnieuw.*
FLORA (*Slaat haar armen over elkaar.*): Ik ga niet oefenen en HET KAN ME NIETS SCHELEN!
Maar ADA *blijft niet staan om naar haar te luisteren.* FLORA *loopt door het bos terug, terwijl ze kinderlijke verwensingen*

voor zich uit moppert. STEWART *en zijn twee* MAORI-HELPERS *komen haar uit het bos tegemoet.* FLORA *geeft een gil van schrik.*

STEWART (*Kijkt naar de heuvel.*): Waar is je moeder? Waar is ze heen?

FLORA *zwijgt, nukkig en gemelijk.*

FLORA: Naar de HEL!

FLORA *rent weg, zo hard als ze kan, gedreven door haar eigen hatelijkheid.*

STEWART *klautert weer omhoog, het pad op. Hij ziet nog net hoe in de verte de gestalte van* ADA *zich nerveus omdraait en met wapperende rokken over het bospad snelt. De wind beroert de boomkruinen, die kreunen als hun takken tegen elkaar wrijven.*

90. BINNEN. BAINES' HUT. DAG.

ADA *gaat de hut van* BAINES *binnen; ze is buiten adem en kondigt haar aanwezigheid slechts aan door er te zijn, daar te staan.* BAINES *komt uit de slaapkamer. Als hij* ADA *ziet, is hij gereserveerd, argwanend, en het geknipper van zijn ogen wordt sterker.*

BAINES: Wat brengt jou hier? Heb je iets laten liggen? Ik heb niets gevonden.

ADA *reageert niet; ten slotte kijkt ze* BAINES *aan en haar blik heeft iets kwetsbaars en oprechts dat hem overvalt.*

Weet hij iets?

ADA *schudt haar hoofd.*

De piano is niet beschadigd? Is behouden aangekomen? Wil je even gaan zitten? Ik ga zitten.

ADA *gaat niet zitten. Ze blijft roerloos staan.* BAINES *probeert zijn gespeelde nonchalance vol te houden, hij schenkt een kop thee in.*

Hij wendt zich tot haar, wil iets zeggen, maar zwijgt, ontwapend door een nieuwe broosheid in haar kracht. Hij knippert snel met zijn ogen.

BAINES: Ada, ik ben ongelukkig omdat ik naar je verlang, omdat je mijn gedachten beheerst en ik nergens anders meer aan kan denken. Zo lijd ik. Ik ben ziek van begeerte. Ik kan niet eten, ik kan niet slapen. Als jij niet naar mij verlangt, als je zonder enig gevoel voor mij bent gekomen, ga dan weg!

BAINES *loopt bruusk naar de deur en trekt die open, zijn mildheid is opeens veranderd in wreedheid.*

Ga! Ga NU! Vertrek!

De verandering van toon steekt ADA*; ze doet een stap naar hem toe en met tranen van woede in haar ogen geeft ze hem een harde klap in zijn gezicht.* BAINES' *neus begint te bloeden, maar zijn gezicht klaart langzaam op alsof ze woorden van liefde heeft gesproken.* ADA *bloost, ze is geschokt; de twee staan tegenover elkaar, zich op dit moment intens van elkaar bewust, intens gelijk. Met iedere nieuwe ademhaling, met iedere seconde die ze elkaar in de ogen blijven kijken, wordt de belofte van intimiteit bevestigd en herbevestigd en gepreciseerd totdat ze als slaapwandelaars die niet weten waarom ze wakker werden op de plaats waar dat gebeurde, bij elkaar staan en elkaar beginnen te kussen, op de lippen, de wangen, de neus. Ze zijn onervaren in hun tederheid, hun instincten worden slechts geleid door hun gevoelens en emoties.* BAINES' *gezicht vertrekt van de zoete pijn van zijn genot;* ADA *houdt zijn hoofd tegen haar borst.* BAINES *worstelt met haar kleren, begerig om haar huid te voelen.*

91. BUITEN. BINNEN. BAINES' HUT. DAG.

Buiten bekijkt STEWART *de hut vol wantrouwen.* BAINES' *hond gromt als hij op de smalle veranda stapt. Voorzichtig gluurt* STEWART *door een kier tussen een paar losse overnaadse planken. Binnen klinken geluiden die hem ongerust maken. Hij gaat op een stoel staan en vindt een kijkgaatje waardoor hij ziet hoe* ADA *en* BAINES *elkaar kussen en uitkleden.*

Hij deinst terug, kwaad, maar net als we verwachten dat hij naar binnen zal stormen, stapt hij weer op de stoel en kijkt nogmaals; de fatale tweede blik, de blik van nieuwsgierigheid. Hij observeert BAINES, *die met ontbloot bovenlijf* ADA *uitkleedt; haar knopen springen los,* ADA *lacht,* BAINES *betast haar onder haar rokken – overal – hij kruipt onder haar rokken, trekt haar kousen omlaag.* STEWART *kijkt, stapt van de stoel om lager te kijken als* BAINES *zich in* ADA*'s rok begraaft. Hij lijkt niet te merken dat de hond zijn hand likt. Opeens trekt hij zijn hand weg en kijkt ernaar, de hand is nat van het speeksel van de hond; hij veegt het aan de planken af en kijkt weer als gehypnotiseerd toe.*

92. BINNEN. BAINES' SLAAPKAMER. DAG.
In de kleine slaapkamer van BAINES *vormen de ruwe, donkere planken een schril contrast met de zachte, blanke lichamen van* BAINES *en* ADA. ADA*'s lange zwarte haren kleven aan haar wangen en zijn om haar hals gedraaid. Haar wangen blozen en haar ogen stralen.* BAINES *rolt zijn gezicht over haar borst, terwijl hij voorzichtig, langzaam de smaak van haar lichaam proeft. Als dronken beminnen ze elkaar, zacht, langzaam.* ADA*'s ademhaling gaat over in een zacht gemurmel;* BAINES *is diep ontroerd door deze lichte geluidjes en zijn gezicht straalt van vreugde.*
BAINES: Wat?... Wat?... Fluister...!

93. BINNEN. BAINES' SLAAPKAMER EN ONDER HET HUIS. DAG.
Terwijl ADA *zich aankleedt, zit* BAINES *op zijn bed toe te kijken. Hij is verdrietig, in gedachten verzonken.*
BAINES: Nu zul je me ongelukkig maken, maar waarom? (*Hij grijpt haar hand en trekt haar naar zich toe.*) Ada, ik moet het weten, wat ben je van plan? Kom je weer?
ADA *is afwezig, ze raapt haar knopen van de vloer, ongerust*

omdat er zoveel tijd is verstreken, erop gebrand zich aan te kleden en terug te gaan.

De camera gaat almaar verder naar beneden en ontdekt STEWART, *die onder de losse houten vloerdelen geklemd ligt. Hij kan het allemaal niet goed horen, maar* ADA*'s hand die naar een knoop reikt, is slechts enkele centimeters van hem vandaan. Eén knoop valt door een kier in* STEWART*s nek en in zijn hemd. Als ze zich opricht, rolt hij onder de vloer vandaan.*

BAINES: Wacht! Ik weet niet wat je denkt. (*Zacht, plagend.*) Betekent dit iets voor je? Nou? (*Strijkt een lok haar achter haar oor.*) Ik mis je nu al. Ada, houd je van me?

ADA *denkt na over deze vraag. Ze weet het duidelijk niet, de vraag is voor haar ingewikkelder dan voor hem; dan, bij wijze van antwoord lijkt het, geeft ze hem een vurige, wellustige kus.*

BAINES *trekt zich in verwarring terug.* ADA *heeft zich nu aangekleed.*

BAINES *komt achter haar staan om te helpen met de knopen.*

BAINES (*Bezorgd.*): Kom morgen. Als het je ernst is, kom dan morgen.

ADA *draait zich om en kust hem hartstochtelijk, met het nieuwe vuur van iemand die zojuist heeft ontdekt hoe heerlijk seks is. Dan, zo vlug als ze begon, pakt ze haar muts en cape en loopt naar de deur.*

BAINES: Morgen?

Ze knikt en is weg.

94. BINNEN. STEWARTS HUT/ADA'S SLAAPKAMER. AVOND.

FLORA *en* ADA *hebben beiden een witte nachtjapon aan.* FLORA *staat achter* ADA *op een stoel en probeert de klitten in het haar op* ADA*'s achterhoofd te ontwarren.* ADA *schudt haar hoofd speels heen en weer, waardoor het moeilijke karweitje onmogelijk wordt.*

FLORA: Blijf staan! Het zijn vreselijke knopen.

FLORA *probeert haar moeders hoofd stil te houden, maar* ADA *is door het dolle heen en haar haar zwiert van de ene kant naar de andere, zwiepend in* FLORA*'s gezicht.*

FLORA: HOUD OP, mama!

FLORA *begint te giechelen en slaat terug: ze zwiept haar eigen haar van de ene naar de andere kant. De twee vrouwen tollen door de kleine slaapkamer, hun haren zwieren om hen heen;* FLORA *gilt het uit van pret, dan stopt ze, duizelig en misselijk.* ADA *blijft al ronddraaiend haar haar in* FLORA*'s gezicht slaan.*

FLORA: Houd op! Ik ben misselijk!

Maar ADA *houdt niet op; haar donkere haar wervelt om haar heen als ze draaierig en gedesoriënteerd tegen de muren valt.*

95. BINNEN. STEWARTS HUT. AVOND.

In de kamer ernaast zit STEWART *op zijn eigen bed te luisteren met nat en keurig gekamd haar. Hij heeft een dagboek met gedroogde botanische specimens naast zich. Als hij* FLORA *hoort gillen, gaat hij naar de keuken en door de half open deur kijkt hij, zich verbergend in de schaduw, naar* ADA*'s dolle pirouetten.*

96. BINNEN. STEWARTS HUT/ADA'S SLAAPKAMER. DAGERAAD.

Daglicht stroomt de kamer binnen als ADA *de spelden achter in haar kapsel vastzet.*

97. BUITEN. PAD NAAR BAINES' HUT. DAG.

(Muziek zwelt aan.) De hemel is donker en de wind doet ADA*'s cape opbollen en wikkelt de cape hoog om haar heen. De boomkruinen zwaaien woest heen en weer. Het is donker in het bos en* ADA *haast zich over het pad. Ze is buiten adem en kijkt juist over haar schouder om te zien of ze niet wordt gevolgd, wanneer* STEWART *het pad opstapt.* ADA

blijft abrupt staan. Hij heeft een blik in zijn ogen die ze nog nooit bij iemand heeft gezien. Zijn ogen kijken haar niet aan, maar omvatten haar op een eerder dierlijke dan menselijke manier. Ze slaat haar ogen neer en hem tartend loopt ze onbewogen voorbij. Maar STEWART *grijpt haar bij de arm, draait haar om en trekt haar naar zich toe; blind voor ieder protest kust hij haar.* ADA *verzet zich hevig. Zijn greep verslapt en ze doet een stap achteruit, ze kijkt hem woedend aan en rent dan de helling af, maar* STEWART *is haar de baas, grijpt haar rokken, trekt haar stukje bij beetje naar zich toe; ze glijdt uit en valt op de grond.* STEWART *ligt op haar, schort haar rok op, betast haar benen;* ADA *verslapt helemaal, wat* STEWART *zo verrast dat ze kan wegkruipen. Maar weer haalt* STEWART *haar in en weer rollen ze over de grond;* STEWART *betast en kust haar,* ADA *wringt zich in bochten om eraan te ontkomen. Hun stille worsteling heeft iets van een kat-en-muisspel, dat uiteindelijk wordt afgebroken doordat* FLORA *ontdaan en in tranen op het pad staat te roepen, met haar engelenvleugels verbogen om haar middel.*

FLORA (*Luidkeels.*): Mama! Mama! Ze spelen op je piano!

STEWART *laat* ADA *opstaan en de twee vrouwen lopen over het pad terug naar huis. In de verte het geluid van gehamer op pianotoetsen.*

98. BINNEN. STEWARTS HUT. DAG.

Een MAORI-VROUW *zit plechtig en waardig aan de piano. Ze draagt een hoge zijden hoed en een lange zwarte jurk; naast haar staat de* MAORI *die ervandoor was gegaan met de knopen, waarvan hij het merendeel aan zijn jas heeft genaaid. Ze speelt luid met haar vuisten; haar metgezel luistert ernstig, onbewogen, knipperend met zijn ogen bij het gehamer; twee anderen luisteren in de deuropening, de een met zijn handen op zijn hoofd.*

99. BINNEN/BUITEN. STEWARTS HUT. DAG.
FLORA *en* ADA *staan in de hut, terwijl buiten luid gehamer klinkt.* STEWART *is de ramen aan het dichtspijkeren om hen binnen op te sluiten.* FLORA *doet vrolijk met hem mee en wijst de kieren aan die* STEWART *heeft overgeslagen.*

FLORA: Hier, papa!

ADA*'s gezicht verbleekt in het wegtrekkende licht. Kwaad om de dreigende opsluiting schudt ze gepijnigd haar hoofd, ze loopt naar de piano, tilt de klep op en speelt ruw en krachtig enkele maten. Ze loopt door naar de slaapkamer, waar ze een kleine handspiegel oppakt. Ze bestudeert haar gezicht, dat vertrokken is van ergernis. Ze betast teder haar gelaat en hals, dan laat ze zich op het bed vallen met haar gezicht naar de muur en haar handen op haar oren.*

FLORA *staat bij haar moeder.*

FLORA: Je had er niet heen moeten gaan, hè? Ik vind het niet prettig en papa ook niet. Mama, zullen we samen kaarten?

ADA *draait zich om; met gesloten ogen perst ze haar gezicht en lichaam tegen de matras. Het is een sensuele en in zichzelf gekeerde beweging.* FLORA *houdt op met kaarten delen op het bed en kijkt vol verbijstering naar haar moeder.*

100. BINNEN. STEWARTS HUT. NACHT.
Het is nacht en ADA *loopt door het donker, als een spook in haar witte nachthemd. Ze gaat aan haar piano zitten en begint te spelen, luid en krachtig. Haar haar hangt los en ze lijkt half te slapen.* FLORA *en* STEWART *worden wakker van het luide spel en strompelen naar de keuken.* STEWART *heeft een brandende kaars bij zich.* ADA *gaat door met spelen.*

FLORA *beweegt haar hand voor* ADA*'s gezicht.*

FLORA: Ze slaapt, kijk maar.

Op een nacht is ze in haar nachthemd op de weg

naar Londen gevonden. Opa zei dat ze snijwonden in haar voeten had en dat ze zo erg bloedde dat ze een week lang bijna niet kon lopen.
De twee observeren ADA, *gehypnotiseerd door haar dwangmatige pianospel.*[12]

101. BUITEN. BEEK BIJ STEWARTS HUT. DAG.
STEWART *houdt de wacht terwijl* ADA *en* FLORA *hun kleren wassen in de beek.* FLORA *neemt de leiding, ze zeept de kleren in; ze geeft de kledingstukken aan haar moeder, die ze moet uitspoelen.* ADA *is verstrooid, en als ze de kleren aanpakt, laat ze ze meteen weer los; ze drijven weg langs* STEWART, *die ze probeert te pakken, wat hem niet lukt. Twee* MAORI-JONGENS *gaan erachteraan, ze vermaken zich ermee en vinden het een reuze-avontuur.*
STEWART: Je laat de kleren wegdrijven... Ze drijven weg!
ADA *staart in de verte, terwijl ze zachtjes op een steen zit te wiegen. Haar opengehaakte jurk drijft op het water achter haar.*
FLORA: Mama! Kijk uit!
FLORA *waadt het water in om het zoveelste kledingstuk te pakken dat* ADA *heeft laten wegdrijven.*

102. BUITEN. STEWARTS HUT. DAG.
Op de terugweg naar de dichtgespijkerde hut schommelt FLORA *tussen* ADA *en* STEWART *in.*
FLORA: Een, twee, drie... Een, twee, drie...
ADA *kijkt om naar het oerwoud.* FLORA *straalt, ze geniet van het gevoel een familie te hebben waarin ze nu de baas is. De twee vrouwen gaan vooruit de hut in, die* STEWART *afsluit met een balk.*

[12] zie noten, p. 130

103. BINNEN. STEWARTS HUT/ADA'S SLAAPKAMER. NACHT.
Het is nacht. ADA *ligt naast* FLORA *te woelen in het smalle bed; haar haar is om haar gezicht gestrengeld. Ze maakt lage, kreunende geluiden, terwijl ze haar gezicht en lichaam tegen de slapende* FLORA *drukt. Haar bewegingen en gekreun worden sterker, totdat ze opeens wakker wordt en overeind schiet.*

104. BINNEN. STEWARTS KEUKEN EN SLAAPKAMER. NACHT.
ADA *loopt door de keuken terwijl kleine streepjes maanlicht haar bijlichten. Ze loopt langs de piano naar* STEWART*s kamer; hij is in slaap gevallen bij een brandende kaars.* ADA *kijkt, dan zweeft haar hand even boven hem voordat ze zachtjes zijn gezicht aanraakt. Zijn ogen gaan open, hij kijkt naar* ADA, *bang en verrast, maar als* ADA *doorgaat, verdwijnt zijn reserve en laat hij zich meeslepen door zijn gevoelens. Ze trekt het laken weg en streelt zijn hals, schouders en borst; hij steekt zijn handen naar haar uit.*
STEWART: Ada!
Maar ADA *fronst en trekt zich bruusk terug;* STEWART *gaat weer liggen, bang de ban te verbreken en als hij stil ligt, begint* ADA *zijn borst weer te strelen. In zijn ogen wellen tranen op en hij kijkt op naar haar gezicht als een kind na een nachtmerrie, angstig en vol vertrouwen.* ADA *gaat door, als een verpleegster die zalf op een wond smeert; teder en aandachtig streelt ze hem tot op zijn buik.* STEWART *krijgt kippevel en hij huivert. Hij legt zijn hand op de hare om die tegen te houden; haar hand glipt onder de zijne vandaan en ze gaat door met strelen. Hij kijkt haar smekend aan, en als een kind stopt ze en kust ze het zachte vel van zijn buik.* STEWART *kreunt, grijpt de matras beet.* ADA *lijkt ver van* STEWART *af te staan, alsof ze beheerst wordt door een geheel eigen nieuwsgierigheid.*

105. BINNEN. STEWARTS KEUKEN. DAG.

De volgende dag staat TANTE MORAG *in* STEWART*s kleine, verduisterde huis en draait zich om en om.* FLORA *en* ADA *zitten stilletjes bij elkaar.*

TANTE MORAG: Ooo, wat is het donker, het lijkt wel een bedompte grot.

NESSIE: Ja, net een grot.

TANTE MORAG: Ooo nee, ik krijg er kippevel van!

STEWART *komt het huis binnen met een stapeltje houtblokken;* TANTE MORAG *loopt hem achterna naar de haard.*

TANTE MORAG: Alisdair, is het vanwege ons toneelstuk? Hebben de inboorlingen je aangevallen?

Ze volgt hem naar de deur.

Ik moet wel zeggen dat je dit verkeerd hebt gedaan, kijk maar, je hebt de grendel aan de buitenkant gemaakt. Als je de deur dichtdoet (*en ze sluit deze*) zullen de Maori's jou juist opsluiten, zie je wel? Met de grendel aan die kant zit je in de val.

NESSIE (*Knikt in navolging van haar.*): ...zit je in de val.

TANTE MORAG *komt weer binnen en loopt naar de tafel waar ze haar mand vol lappen en pakjes met eten heeft laten staan. Ze tilt de mand van de tafel en begint een lap stof uit te vouwen.*

TANTE MORAG: We komen net van George Baines en ze hebben zijn huis overgenomen. Geen wonder dat hij weggaat, hij heeft zich te veel met de inboorlingen ingelaten. Ze zitten bij hem op de vloer, zo trots als koningen, maar zonder ook maar een spoortje manieren.

NESSIE (*Valt haar bij.*): ...zonder een spoortje manieren.

NESSIE *en* TANTE MORAG *pakken cake en koekjes uit en leggen die op schalen op de tafel.*

TANTE MORAG: Hij is helemaal veranderd, 't is net alsof ze hun inheemse toverkunsten op hem hebben geprobeerd. Nou, morgen of overmorgen is hij weg.

STEWART: Is Baines aan het inpakken?

TANTE MORAG: Nou, hij heeft *niets* te pakken, maar hij gaat wel weg. En dat is maar goed ook; Nessie is dom genoeg erg op hem gesteld geraakt... we hebben wat tranen gehad...

Bij deze woorden verschijnen er rimpels in NESSIE*'s gezicht en komen de tranen weer opzetten.*

TANTE MORAG (*Streng.*): HOUD DAARMEE OP! HOUD OP!

Vreemd genoeg gehoorzaamt NESSIE *meteen, ze knippert en haar gezicht is weer in de plooi.*

ADA *probeert haar onrust te verhullen; ze loopt naar de piano en strijkt erover; ze begint te spelen.*

TANTE MORAG: Ik ben erg bang voor de terugweg. We moeten weg als het nog volop licht is. Is het wel veilig?

STEWART (*Die wil dat ze weggaan.*): Als jullie gauw gaan, is het vast wel veilig, denk ik.

STEWART *en* MORAG *kijken naar* ADA *aan de piano. Ze speelt en speelt totdat ze volledig in de muziek opgaat.* TANTE MORAG *is ondanks zichzelf geïntrigeerd.*

106. BUITEN. BOSPAD NAAR MISSIE. DAG.

Aan de rand van het oerwoud langs de onverharde weg naar de stad houdt TANTE MORAG *een discrete plaspauze.* NESSIE *staat op de uitkijk en houdt de cape op, terwijl een van de* MAORI*-pupillen nog een cape ophoudt.*

TANTE MORAG: Weet je, ik zat aan de piano te denken. Ze speelt niet zoals wij, Nessie.

Al luisterend laat NESSIE *de cape zakken.*

OMHOOG! OMHOOG! Nee, ze is een vreemd wezen en ze speelt vreemd, als een stemming die over je komt. Dat kan je iemand niet bijbrengen, Nessie, je kan het wel willen leren, maar het is iemand niet bij te brengen.

NESSIE *laat de cape weer zakken.*

OMHOOG! Jij speelt simpel en eerlijk en daar houd ik van. Het is helemaal niet aangenaam als een geluid je bekruipt...

Een klapperend geluid in het bos.

...Wat is dat?

NESSIE (*Bang.*): Oooo!

MARY/HENI (*Langzaam, ontspannen.*): Een duif, tante.

Het gezelschap is klaar en ze haasten zich, ietwat schrikachtig, over de weg naar de stad.

107. BINNEN. STEWARTS KAMER. NACHT.

Het is nacht. ADA *komt de kamer binnen;* STEWART *kijkt verlegen naar haar.*

STEWART: Ik hoopte al dat je zou komen.

ADA *strijkt over zijn voorhoofd.* STEWART *sluit zijn ogen, ademt diep in en uit, opgelucht.* ADA *streelt zijn nek en dan zijn rug.* STEWART*s gezicht vertrekt, de tranen springen in zijn ogen. Ze streelt zo zacht, haar tederheid overvalt hem. Voorzichtig trekt ze zijn onderkleren weg, zodat zijn billen worden ontbloot.* STEWART *grijpt zenuwachtig naar zijn kleren, haalt ze met zijn handen weer omhoog.* ADA *maakt zijn vingers los en trekt ze opnieuw, langzaam, naar beneden. Ze begint zijn billen te strelen.* STEWART *is pijnlijk opgewonden, pijnlijk kwetsbaar; hij begint te huilen, de intimiteit en zachtheid ontwapenen hem en hij is hulpeloos.* STEWART *gaat zitten, ineengedoken, in zichzelf gekeerd.*

STEWART: Ik wil je aanraken. Waarom mag ik je niet aanraken? Vind je me aardig?

Langzaam tilt hij zijn hoofd op om ADA *aan te kijken. Ze kijkt terug, ontroerd door zijn hulpeloosheid, maar afstandelijk, alsof het niets met haar te maken heeft.*

Nou?

ADA *reageert niet.* STEWART *zinkt weg in wanhoop en teleurstelling.*

Waarom? Waarom niet?!

108. BINNEN. STEWARTS KEUKEN. DAG.

De volgende ochtend zitten ADA, FLORA *en* STEWART *samen in de kleine, donkere hut.* FLORA *schikt een miniatuurlandschap van mos en twijgjes op een etensbord. Een streep zonlicht werpt een toverachtige gloed op de bovenste takjes.* FLORA*'s vieze vingertjes drukken er nog een 'boom' in; ze kijkt blij op.*

FLORA: Dit wordt Adams boom en dan ga ik een slang maken die erin woont met een hele lange tong. (*Ze steekt haar tong uit en beweegt hem heen en weer.*)

STEWART *leest; hij werpt een blik op* ADA, *die somber en lusteloos is.*

109. BINNEN. STEWARTS HUT. DAG.

ADA *en* FLORA *worden wakker van het zonlicht dat op hun gezichten valt, het wordt steeds lichter naarmate* STEWART *meer planken van de ramen trekt.* FLORA *rent rond in haar nachtjapon en laarsjes, blij met het zonlicht.* ADA *draait haar haar in een knot.* STEWART *komt binnen; hij pakt eten in en gereedschap om een omheining te maken.*

STEWART (*Schraapt zijn keel.*): We moeten allebei verder. Ik heb besloten erop te vertrouwen dat je hier blijft. Je gaat niet naar Baines?

ADA *knikt.*

Mooi zo. Met een beetje moeite zul je me misschien aardig gaan vinden?

110. BUITEN. STEWARTS HUT. DAG.

ADA *hangt was op, terwijl ze rusteloos de rand van het bos afspeurt. De kleine gestalte van* STEWART *loopt over de kam van de heuvel en verdwijnt uiteindelijk uit het zicht.*

111. BINNEN. STEWARTS HUT. DAG.
In de hut loopt ADA *te ijsberen, gekweld en gefrustreerd. Impulsief pakt ze een mes van de keukentafel, opent de piano en snijdt een van de toetsen los. Met zorg grift ze in de zijkant in een Victoriaans handschrift:*

LIEVE GEORGE, JIJ HEBT MIJN HART,
ADA McGRATH.

112. BUITEN. STEWARTS HUT. DAG.
Onder de lakens heeft FLORA *een miniatuurwaslijn gespannen waaraan ze reepjes stof hangt.* ADA *geeft haar de toets, ingepakt in katoen.* ADA *gebaart. Haar zwarte schaduw op het laken herinnert aan het macabere toneelstuk.*
FLORA: Nee!
Het meisje gaat uitdagend door met haar was in miniatuur. ADA *rukt de waslijn los en gooit die weg.* FLORA *is geschrokken, verbijsterd. Ze pakt de toets aan en als ze wegloopt, draait ze zich om en roept.*
FLORA: We mogen niet naar hem toe!
ADA *gebaart: 'GA!'*

113. BUITEN. PAD NAAR BAINES' HUT BIJ HEK. DAG.
Op het kruispunt van het pad naar de hut van BAINES *begint de afbakening van* STEWART*s land. Hier is* FLORA *blijven staan. Ze kijkt over haar schouder om te zien of haar moeder kijkt; ze kijkt niet.* FLORA *slaat rechtsaf en loopt nu in de tegenovergestelde richting van* BAINES*' hut langs* STEWART*s omheining.*

114. BUITEN. HEUVELS MET HEK. DAG.
Het hek verschijnt en verdwijnt achter de heuvels. Ook FLORA *duikt weg achter heuvels en komt aan de andere*

kant weer te voorschijn. Ze zingt een marsliedje voor zich uit:

FLORA: The grand old Duke of York.
He had ten thousand men.
He walked them up to the top of the hill,
And he marched them down again.
And when they were up, they were up.
And when they were down, they were down.
And when they were only halfway up,
They were neither up nor down.

115. BUITEN. DAL MET VINGERHOEDSKRUID EN HEK. DAG.
FLORA *blijft in een van de dalen staan, verstild tussen bossen hoog, lila vingerhoedskruid.*

116. BUITEN. ONVOLTOOID HEK OP HEUVEL. DAG.
Er lijkt geen einde te komen aan het hek als de vermoeide FLORA *weer een heuvel beklimt, maar daarvandaan kan ze zien waar het hek ophoudt, halverwege de kam van de volgende heuvel, en daar staat* STEWART *een nieuwe hekpaal in de grond te slaan. Hij wordt gadegeslagen door de* KNOPENMAN *en diens vriend, die gehurkt om beurten aan een pijp lurken. De* KNOPENMAN *trommelt onvermoeibaar op zijn knopen.*
FLORA: Mama wilde dat ik dit aan meneer Baines gaf.
Ze houdt de in katoen gewikkelde pianotoets op. STEWART *kijkt op.*
Het leek me niet juist om dat te doen.
STEWART *werkt door, hij hamert de paal de grond in.*
Moet ik het openmaken?
STEWART: Nee!!
Hij stopt en neemt de toets aan, achterdochtig en niet op zijn gemak. Hij pakt hem langzaam uit, draait hem om en leest. Met de toets in zijn vuist geklemd strompelt STEWART *verblind weg. Hij komt terug, pakt zijn geopende rugzak op,*

laat de spijkers vallen. Ten slotte legt hij de rugzak en de toets neer en vertrekt met alleen zijn bijl. FLORA *volgt, in verwarring. De* MAORI'S *beginnen onmiddellijk de buit te inspecteren. De* KNOPENMAN *drukt herhaaldelijk op de pianotoets.*

KNOPENMAN: *Kaare e Waiata! Kaare e Waiata!*
[*Ondertiteld*: Geen lied, geen lied]

117. BUITEN. STEWARTS HUT. DAG.

STEWART *stormt de hut binnen; zijn natte haar zit op zijn voorhoofd geplakt, zijn gezicht is bleek.* ADA *kijkt op van haar boek, haalt haar handen van de tafel.* STEWART *zwaait woest met zijn bijl. De bijl klieft de tafel en hakt een stuk van haar boek.* ADA *duwt haar stoel achteruit.*

STEWART (*Getergd.*): Waarom? WAAROM? Ik vertrouwde je!

Hij rukt de bijl uit de tafel en haalt uit naar de piano.
WAAROM?

ADA *springt naar voren om hem tegen te houden, maar de bijl zinkt diep weg in het hout. De getroffen piano laat een vreemd, galmend gekreun horen.*
Ik vertrouwde je, hoor je me? Ik vertrouwde je. Ik had van je kunnen houden.

Hij pakt haar bij de pols.
Waarom doe je dit? Waarom dwing je me je pijn te doen? Hoor je me? Waarom heb je het gedaan? We hadden gelukkig kunnen zijn.

STEWART *rammelt haar woest door elkaar.*
Je hebt me kwaad gemaakt. SPREEK!

119. BUITEN. STEWARTS HUT EN HAKBLOK. DAG.

Hij trekt haar de hut uit, langs de inmiddels doodsbange FLORA.
Hiervoor zal je boeten. Of je spreekt of niet, je zult boeten!

Hij sleurt haar door de modder naar het hakblok. Het regent hard.

ADA *ziet waar ze heen gaan en plotseling raakt ze in paniek. Ze stribbelt tegen en verzet zich, maar* STEWART *is veel en veel sterker. Bij het houtblok worstelt ze zich los en ze kruipt weg door de spaanders en de modder. Maar met de bijl in zijn hand grijpt hij haar bij de kraag van haar jurk, dan bij haar haar en hij trekt haar terug naar het blok. Daar pakt hij haar rechterhand en houdt die met zijn laars op zijn plaats, zodat alleen* ADA*'s wijsvinger te zien is.* ADA*'s hoofd zit in een knik vastgeklemd tussen het houtblok en* STEWART*s been.*

STEWART (*Gekweld.*): Houd je van hem? Nou? Is hij degene van wie je houdt?

ADA *knippert met haar ogen, verstard van angst. Het stroomt van de regen.*

FLORA: Nee, zegt ze, NEEE!!!

De bijl valt. ADA*'s gezicht vertrekt van pijn. Bloed spat op* FLORA*'s witte schort, haar engelenvleugels zijn besmeurd met modder.*

FLORA (*Gilt.*): Moeder!!

ADA *staat op. Ze ziet bleek; uit haar vinger stroomt bloed, ze schudt haar hand en dan, als ze het bloed ziet, stopt ze haar hand achter haar rug, ontzet. Ze kijkt bezorgd en verward naar* FLORA. *Haar hele lichaam begint onbeheersbaar te trillen en als in een reflex gaat* ADA *lopen.* FLORA *huppelt gelijk met haar op.*

FLORA: Mama!

ADA *loopt blindelings door, alsof haar bestaan ervan afhangt. Haar gezicht is asgrauw, haar ogen staan bang terwijl ze niets ziend tegen een grote boomstronk op loopt. Ze zakt in elkaar in de modder.*

STEWART *wikkelt de vinger in een witte zakdoek en geeft deze aan* FLORA, *die doodsbang terugdeinst.*

FLORA (*Zachtjes.*): Mama.

STEWART: Breng dit naar Baines. Zeg maar dat als hij haar ooit nog probeert te spreken, ik er nog een afhak, en nog een, en nog een!

De gestalten lijken klein in het verregende skelet van een bos.

120. BUITEN. MAORI-PA. DAG.

BAINES, *zijn paard en* HIRA *staan bij de ingang van de* Pa *van de Maori's. De* Pa *staat aan de rand van een mangrovebos bij een rivier en er zijn verscheidene kano's op de zandbank getrokken. De* Pa *is al oud, het is vervallen en hersteld. Bij de ingang van de* Pa *voltrekt een* KUIA *het welkomstritueel.*

KUIA (Zingend.): *Arahingia mai ra to tatou rangatira e Hira. He tangata whai whakaaro kia taua ki te. Maori Haere mai ra! Haere mai, Haere mai!*

[Breng onze vereerde vriend naar voren, Hira. Hij heeft ons Maori-volk altijd een warm hart toegedragen. Welkom! Welkom! Driewerf Welkom!]

121. BUITEN. MAORI-PA. DAG.

Het officiële afscheid is voorbij en HIRA *en* BAINES *hebben de handen geschud en de neuzen gedrukt van haar volk.*

HIRA *houdt zijn armen vast, ze is bedroefd en de tranen staan in haar ogen. Hij zet vol genegenheid zijn hoed op haar hoofd en geeft haar een zeer gewaardeerd blik tabak.*

HIRA: *Peini*, ik mis je, jij bent een mens zoals wij. De *pakeha* man, zij hebben geen hart, zij denken alleen aan land.

Het begint zachtjes te regenen. BAINES *en* HIRA *lopen langs het Gemeenschapshuis en de lage slaaphuizen naar de ingang tot de* Pa, *waar zijn paard op hem wacht.*

HIRA: Ik ben bezorgd om ons, *Peini. Pakeha* sluw als de wind, GOOIT je omver, toch zie je het niet. Sommigen zij zeggen: 'Hoe kan *pakeha* ons land krijgen als wij niet verkopen?'

Een groep kinderen holt met hen mee, honden rennen weg en varkens worden uit de weg geschopt onder luid protest van de eigenaars. Sommigen houden matten op hun hoofd tegen de regen, één heeft een kapotte paraplu.

HIRA: Zij vergissen, *Peini*. Vandaag onze vijand hij verkoopt land voor stapel geweren. Nu kopen wij ook geweren. We moeten ons land verkopen om voor ons land te vechten.

BAINES *bestijgt zijn zwaarbeladen paard. De* KNOPENMAN *dringt naar voren om afscheid te nemen, maar wordt bruusk opzij geduwd, hij is kennelijk niet geliefd bij de anderen.* BAINES *kijkt naar hem en ziet de pianotoets waarvan de man een oorbel heeft gemaakt.*

HIRA: Ik bezorgd, *Peini*. Wat wordt van jou, jij naar huis, maar waar gaan wij heen? Wij kunnen nergens heen.

HIRA*'s stem schiet van kwaadheid omhoog, terwijl* BAINES *haar arm loslaat en door de groep naar de* KNOPENMAN *rijdt. Hij neemt de pianotoets in zijn hand; de* KNOPENMAN *doet een stap achteruit.*

KNOPENMAN: Is van mij. Heb ik gevonden.

BAINES *draait de toets om en ontdekt de woorden erop.*

BAINES (*Met klem.*): *Homai ki au.*

[*Ondertiteld*: Ik wil dit.]

KNOPENMAN (*Koppig.*): *Norr! Naaku.* Is van mij. Mij vinden.

BAINES: *He aha to hiahia?* Vraag ervoor? Tabak?

[*Ondertiteld*: Wat wil je hebben?]

HIRA (*Nog altijd kwaad.*): Geweer, vraag geweer!

De KNOPENMAN *laat zijn nagel over al zijn knopen glijden terwijl hij bedenkt wat hij hebben wil.*

ANDEREN: – *Nga rarahe*

[De bril]

– *Wana Putu*

– *Te whitiki, gettem ehoa!*
[De riem]

122. BUITEN. MAORI-PA. DAG.
Buiten de muren van de Pa *bij de* kumera-*tuinen houdt* HIRA BAINES' *zadeltassen vast. Het regent hard als hij wegrijdt, zonder hoed en schoenen en zonder geweer, maar met tegen zijn borst de toets met* ADA*'s inscriptie geklemd.*
HIRA: Ga, *Peini... Haere atu e Peini.*
BAINES: Ik kom weer terug.

123. BUITEN. SCHOOL. DAG.
BAINES *loopt over de ponywei van het koloniale schooltje van maar één klas. Hij heeft een stuk lijnwaad om zijn middel gebonden om zijn broek op te houden. De lucht klaart op. In de wei staan vijf haveloos ogende rijdieren: van een groot oud karrepaard, gebouwd om een heel gezin te dragen, tot een kleine, gemelijk kijkende shetlander.*
BAINES *luistert aan de muur van het lokaal, waar vele stemmetjes de tafels opzeggen.*

124. BINNEN. KLASLOKAAL. DAG.
Hij tuurt door een gat in de wand naar de beentjes onder tafels.

125. BUITEN. SCHOOL. DAG.
Het is speelkwartier en een ongeregelde troep kinderen komt de klas uitrennen. De meisjes hebben lange, gevlekte, voorheen witte schorten aan en iedereen draagt laarzen die te groot lijken, behalve het jongetje bij wie de neuzen van zijn laarzen zijn gesneden zodat zijn tenen eruit kunnen steken.

Vier kleine meisjes zijn rustig aan het touwtjespringen met een liaan. De jongens en enkele wilde meisjes spelen stiertje.

126. BUITEN. LIEFLIJKE BEEK. DAG.
Een meisje van ongeveer zeven loopt met een boek weg om bij een beekje te gaan zitten. BAINES *volgt haar en gaat naast haar zitten.*
BAINES: Kun je lezen?
Het meisje klapt meteen het boek dicht en loopt weg.
Ze loopt door tot ze zich omdraait en hem van een veilige afstand bekijkt.
Een ander meisje laat zich uit een boom vallen.
BOOMMEISJE: Ik wel.
BAINES: Kun je lezen? (*Ze is heel klein.*)
BOOMMEISJE: Ja... van alles.
Het groepje springende meisjes komt naderbij.
GROTE ZUS: Ze kan niet lezen, ze is mijn zusje, ik kan het weten.
Zijn dat snoepjes?
BOOMMEISJE: Ik kan wel lezen!
GROTE ZUS: Nietes.
BAINES *houdt het kleine meisje het doosje voor.*
GROTE ZUS: Niet aan haar geven.
BAINES *doet het toch.*
GROTE ZUS: Ze kan niet lezen.
Het kleine meisje gooit het snoeppapier weg; een van de meisjes raapt het op, ruikt eraan en geeft het aan de anderen.
Mmm, toffees.
BAINES: Kun je lezen?
Hij geeft de pianotoets. GROTE ZUS *neemt hem met groot gezag aan, haar vriendinnetjes scharen zich achter haar. Ze fronst als ze het handschrift ziet. Ze draait de toets om.*
GROTE ZUS: Schuin schrift, dat hebben we nog niet gehad.
LEZEND MEISJE: Myrtle kan het lezen, dat heeft ze van haar moeder geleerd.

De toets wordt uit de handen van GROTE ZUS *gegraaid en aan* MYRTLE *gegeven, het meisje met het boek. De anderen verdringen zich om haar heen.*

MYRTLE (*Fronst*): L i e v e G e o r g e...

De kinderen kijken naar BAINES *om te zien of het tot zover goed is.*

J i j (In koor.) ...hebt...

GROTE ZUS: Dat is 'mijn'.

MYRTLE: Het is geen 'M'.

GROTE ZUS: Jawel.

MYRTLE EN GROTE ZUS: Lieve – George – jij – hebt – mijn –

MYRTLE: – hart? (*Ze trekt een gezicht alsof ze het niet snapt.*) Ada McGrath.

GROTE ZUS: Ik snap het niet.

De kleine meisjes lezen het nog eens samen. MYRTLE *draait de toets zakelijk om om te zien of er nog iets op staat.*

MYRTLE: Dat is alles...

Ze kijken allemaal naar hem op.

BAINES: Zeg het nog eens, jij alleen.

Iedereen draait zich om en luistert naar MYRTLE.

MYRTLE: Lieve George jij hebt mijn hart, Ada McGrath.

Ze maakt een gebaartje als om te zeggen: 'Is dat alles?'

BAINES: Zeg jij het. (*Hij wijst naar* GROTE ZUS, *die een lage stem heeft.*)

GROTE ZUS: Lieve George jij hebt mijn hart, Ada McGrath.

Een ander meisje begint spontaan de boodschap op te zeggen. En nog een. Ondertussen houdt BAINES *zijn hoofd gebogen, hij schudt zijn hoofd vol ongeloof en ingehouden blijdschap. Hij begint te lachen van opluchting en plezier. De kleine meisjes denken dat er iets grappigs in het zinnetje zit en herhalen het keer op keer, wat* BAINES *telkens weer plezier lijkt te doen. Ondertussen zit het kleinste meisje stilletjes de snoepjes op te eten.*

127. BUITEN. STEWARTS HUT. DAG.
In de regen dragen de kleine gestalten van STEWART, *zijn* TANTE *en* NESSIE ADA *moeizaam door het moeras met witte stronken.*

128. BINNEN. STEWARTS HUT/ADA'S KAMER. DAG.
NESSIE *en* TANTE MORAG *trekken* ADA *haar natte kleren uit en knippen met een schaar haar mouw los.*

TANTE MORAG (*Ontdaan.*): Lieve hemel... wat een ongeluk. En ze had hout genoeg... Als ze niet sterft aan bloedverlies, overlijdt ze wel aan een longontsteking. WARM WATER! Overal zit modder!

NESSIE (*Snikt.*): Ach, die arme stakker... lieve hemel...

STEWART *brengt het warme water naar de slaapkamer. Hij is gelaten, bezorgd, kijkt wanhopig toe.*

TANTE MORAG (*Duwt hem naar buiten.*): Ga weg, van dat sombere gestaar wordt niemand beter.

STEWART *gaat de kamer uit en sluit de deur.* TANTE MORAG *gaat verder met het schoonmaken en verzorgen van* ADA*'s wond, terwijl* NESSIE *lakens scheurt tot stroken ter breedte van verband.* ADA *is half bewusteloos, haar oogleden gaan trillend open en dicht, terwijl haar lippen bewegen alsof ze iets wil zeggen.*

TANTE MORAG: Moet je die lippen toch zien... Wat een verhaal zouden ze kunnen vertellen.

NESSIE *kamt haar haar met grote zorg en tederheid uit.* ADA*'s lichaam beeft.* NESSIE *kijkt naar* MORAG.

NESSIE: Zal ik een deken over haar heen leggen? Ze is helemaal koud.

TANTE MORAG: Ja, heel goed, heel goed.

NESSIE *trekt het dekbed over haar heen. De twee oudere vrouwen kijken naar* ADA, *naar haar bleke, gekwelde gezicht dat vertrokken is van pijn.* NESSIE *steekt haar hand uit om over haar zwarte haar te strijken.*

NESSIE: O, zo zacht. Zacht.

TANTE MORAG: Een van Gods lastige dochters. En toch, je voelt dat hij in haar is, angstaanjagend als een onweersbui.

129. BUITEN. BAINES' HUT. SCHEMERING.

BAINES *rijdt in het avondlicht naar huis. Hij is dol van vreugde.* HIRA *rent hem tegemoet.*

HIRA: *Peini, Peini,* kleine meisje. Ik zie haar hier komen, gillen, gillen, gillen... Bloed op haar. Ziet slecht uit... Heel slecht...

BAINES *springt van zijn paard en loopt met grote stappen de hut in.*

130. BINNEN. BAINES' HUT. SCHEMERING.

Binnen vindt hij FLORA *ineengedoken in een hoek; haar gezicht is wit, betraand en besmeurd met modder. Haar engelenvleugels zijn op haar rug ineengedrukt en zitten onder het bloed. Als ze* BAINES *ziet, schreeuwt ze het opnieuw uit van verdriet en opluchting.*

BAINES: Wat is er gebeurd? Stil maar, wat is er?

FLORA *stopt hem de ingepakte vinger toe. Hij neemt het van bloed doordrenkte voorwerp aan en pakt het uit. De vinger valt in zijn hand; hij deinst kreunend terug, kokhalzend, misselijk.*

FLORA (*Schreeuwt.*): Hij zegt dat u haar niet mag zien, anders hakt hij haar in stukken!

BAINES (*Woedend, ontzet.*): Wat is er gebeurd?

Maar FLORA *kan geen woord uitbrengen. Ze barst in luid gesnik uit.* BAINES *knielt voor haar, schudt haar door elkaar.*

ZEG HET DAN! ZEG HET DAN!

BAINES *laat haar los; ze strompelt weg, de deur uit.*

BAINES *gaat haar achterna.*

131. BUITEN. BAINES' HUT. SCHEMERING.

FLORA *gilt als hij haar vastpakt.*

BAINES: Kalm nou maar! Stt! Waar is ze?

FLORA (*Jammert.*): Hij heeft hem afgehakt! Hij heeft hem afgehakt!

BAINES: Jezus! Ik vermoord hem! Ik vermoord hem!

FLORA: Nee, nee, ga er niet heen!

BAINES: Wat heeft ze tegen hem gezegd? (*Schudt haar door elkaar.*) Wat?

HIRA: Zet haar neer, *Peini.* Is maar klein.

HIRA *neemt de trillende* FLORA *in haar armen.*

Stil maar, meisje, stil maar...

BAINES *ziet het bloed op* FLORA*'s kleren; hij raakt het aan, zij deinst terug.*

132. BUITEN. STEWARTS HUT. NACHT.

STEWART *loopt mistroostig voor zijn hut.*

133. BINNEN. STEWARTS HUT. NACHT.

STEWART *komt* ADA*'s kamer binnen met een lamp. Hij zet de lamp naast haar neer op de tafel. Hij bestudeert haar bleke gezicht en droge lippen.* ADA*'s ogen gaan trillend open.*

STEWART (*Spreekt tegen zijn voeten.*): Ik was buiten mezelf. Het spijt me.

STEWART *kijkt naar* ADA.

STEWART: Je hebt mijn vertrouwen beschaamd, je hebt me op de proef gesteld, te veel op de proef gesteld. (*Hij zucht.*) Je mag HEM je liefde niet betuigen, dat mag niet... Als ik er alleen al aan denk, word ik kwaad, heel kwaad...

ADA *opent haar ogen en kijkt naar* STEWART. *Het is duidelijk dat ze niets hoort en niets heeft begrepen, ze krimpt van de pijn. Ze fronst en ze kreunt.*

STEWART: Ik wilde van je houden. Ik heb je alleen in je vrijheid beknot, dat is alles.

STEWART *zingt twee regels van een Engels liefdesliedje voor* ADA.

STEWART: Wij zullen samen zijn, je zult zien dat het beter zal zijn...

Haar voorhoofd is klam van de koorts. Ze rukt aan de dekens. STEWART *trekt ze weg om haar koelte te geven. Hij voelt haar voorhoofd.*

STEWART (*Fluistert.*): ...Mijn lief.

Haar nachthemd is nat van het zweet en plakt aan haar lichaam. STEWART *wil haar hemd rechttrekken; zijn hand raakt haar been aan en hij blijft zo staan; hij voelt een tinteling van genot die sterker en intenser wordt hoe langer zijn hand er blijft liggen.*

STEWART: Ooo, mijn schat...

Zijn hand kruipt over haar been omhoog, schort het nachthemd steeds hoger op. Hij kijkt naar haar gezicht. Haar ogen zijn gesloten, ze is buiten bewustzijn. STEWART *fronst, er komt een gepijnigde uitdrukking op zijn gezicht en al zijn zelfbeheersing smelt weg in een drang om dit moment vast te houden en te rekken. Hij brengt zijn mond naar haar been en begint haar knie te kussen, haar dij. Er komt een nieuwe gedachte in hem op, een verschrikkelijke gedachte, maar zodra hij de gedachte voor zichzelf heeft geformuleerd, kan hij die niet meer van zich afzetten. Hij kijkt naar haar gezicht, ze is nog altijd koortsig en buiten bewustzijn. Zachtjes, heimelijk begint hij de gesp van zijn riem los te maken. Hij buigt zich over haar om voorzichtig haar benen te spreiden. Terwijl hij zijn lichaam boven het hare brengt, kijkt hij naar haar, en tot zijn schande en afschuw kijkt ze hem recht aan, haar ogen kijken strak en scherp in de zijne. Stilletjes trekt* STEWART *zich terug en schuift hij haar hemd naar beneden, terwijl hij zijn ogen op haar gericht houdt.*

STEWART: Voel je je beter?

ADA*'s lippen bewegen lichtjes en* STEWART *draait zich plotseling om alsof hij iets heeft gehoord. Langzaam wendt hij zich weer tot* ADA.

STEWART *kijkt* ADA *aandachtig aan, komt dichter bij haar bed, dichter bij* ADA, *met zijn ogen op de hare gericht.*
STEWART: Wat...?
Hij knippert met zijn ogen bij het geluid van zijn eigen stem. Hij kijkt naar haar alsof hij luistert, terwijl zij spreekt met een zo zwakke en verre stem dat hij haar alleen met de grootst mogelijke concentratie en moeite kan verstaan. Terwijl hij naar haar kijkt, verandert zijn gezicht; in zijn ogen wellen tranen op, zijn mond verzacht en zijn wenkbrauwen krijgen precies dezelfde uitdrukking als de hare.

De olielamp brandt onregelmatig, werpt een flakkerend licht op hun gezichten. STEWART *buigt zich over* ADA *heen. Buiten slaat een windvlaag op het ijzeren dak en wrijft takken tegen elkaar, die een hoog geluid maken, als van een wip. Hij buigt zich nog dieper over haar heen.*

134. BUITEN. STEWARTS HUT. NACHT.
STEWART *loopt met een kaars in een glas tussen de spookachtige boomstronken door. In zijn andere arm draagt hij zijn geweer.*

135. BUITEN/BINNEN. BAINES' HUT. NACHT.
Bij de hut van BAINES *stapt* STEWART *over het opgerolde lichaam van* HIRA, *die op de veranda ligt te slapen, en hij loopt door de hut naar de slaapkamer, waar een kaars flakkerend brandt.*

136. BINNEN. BAINES' SLAAPKAMER. NACHT.
In het bed ligt FLORA *gehuld in een deken met* BAINES *naast haar, die een bijl in zijn hand houdt. Ze zijn beiden diep in slaap.* STEWART *port* BAINES *wakker met de kolf van zijn geweer onder zijn kin.* BAINES *schrikt abrupt wakker, verstart bij het zien van* STEWART *met zijn geweer.*
STEWART: Leg dat weg, op de vloer.

BAINES *gehoorzaamt, voorzichtig om het slapende kind niet te wekken.* STEWART *gaat naast het bed op een kist zitten en legt zijn geweer over zijn knie; zijn gezicht gloeit; hij kijkt* BAINES *recht aan, onderzoekend.*

STEWART: Ik kijk naar je, naar je gezicht. Ik heb dat gezicht in mijn hoofd gehad, ik heb het gehaat. Maar nu ik het hier zie... Het is niets, je knippert met je ogen, je hebt je littekens, je kijkt naar me door je ogen, ja, je bent zelfs bang voor me...

STEWART *lacht.*

STEWART: Moet je toch zien!

BAINES *kijkt hem gereserveerd aan, verontrust, niet in staat* STEWART*s vreemde stemming te begrijpen.* STEWART *kijkt strak terug.*

STEWART (*Zachtjes.*): Heeft Ada ooit iets tegen je gezegd?

BAINES: Bedoel je met gebaren?

STEWART: Nee, woorden. Heb je nooit woorden gehoord?

BAINES: Nee, geen woorden.

STEWART *knikt.*

STEWART: Nooit gedacht dat je woorden hoorde?

BAINES *schudt zijn hoofd.*

STEWART (*Langzaam.*): Ze heeft tegen me gesproken. Ik heb haar stem gehoord. Er was geen geluid, maar ik hoorde het hier. (*Hij drukt de palm van zijn hand tegen zijn voorhoofd.*) Haar stem was hier in mijn hoofd. Ik heb naar haar lippen gekeken, ze vormden de woorden niet, maar hoe aandachtiger ik luisterde, hoe duidelijker ik haar hoorde, net zo duidelijk als ik jou hoor, net zo duidelijk als ik mijn eigen stem hoor.

BAINES (*Probeert te begrijpen.*): Gesproken woorden?

STEWART: Nee, maar haar woorden zitten in mijn hoofd. (*Hij kijkt* BAINES *aan en zwijgt even.*) Ik weet wat je denkt, dat het een truc is, dat ik het verzin. Nee, de woorden die ik hoorde, waren haar woorden.

BAINES (*Achterdochtig.*): Welke woorden?

STEWART *kijkt naar het plafond alsof hij iets gaat opzeggen wat hij uit zijn hoofd heeft geleerd en precies zo wil herhalen als hij het heeft gehoord:*

STEWART: Ze zei: 'Ik moet gaan, laat me gaan, laat Baines me meenemen, laat hij me proberen te redden. Ik ben bang voor mijn wil, voor wat die kan doen, hij is zo vreemd en sterk.'

BAINES, *zich herstellend, kijkt* STEWART *kwaad aan.*

BAINES: Je hebt haar ten onrechte gestraft, ik was het, het was mijn schuld.

STEWART *antwoordt niet. Uiteindelijk kijkt hij op met tranen in zijn ogen.*

STEWART: Begrijp me goed, ik ben hier voor haar, voor haar... Het verbaast me dat ik niet wakker word, dat ik niet slaap terwijl ik hier tegen je praat. Ik houd van haar. Maar wat heeft het voor zin? Ze geeft niets om mij. Ik wil dat ze weggaat. Ik wil dat jij weggaat. Ik wil wakker worden en ontdekken dat het een droom was, dat is wat ik wil. Ik wil geloven dat ik deze man niet ben. Ik wil mezelf terug; degene die ik kende.

FLORA *beweegt en draait zich om in haar slaap. De twee mannen kijken toe. Er verschijnen rimpels in haar voorhoofd, maar dan wordt het weer glad. Onder haar oogleden rollen haar ogen heen en weer in een droom.*

137. BUITEN. BEEK BIJ BAINES' HUT. DAG.

HIRA *wast in een bosbeek de modder uit* FLORA*'s jurk en engelenvleugels.*

138. BINNEN/BUITEN. STEWARTS HUT. DAG.

ADA*'s koffers worden voor* STEWART*s hut neergezet door* TAN-

TE MORAG *en haar meisjes.* ADA *wordt door* NESSIE *uit* STEWARTs *hut geholpen. Ze draagt een zwarte jurk en haar arm zit in een witte mitella. Ze knippert in het licht buiten.* NESSIE *strijkt haar haar op haar schouders glad.* FLORA *gluurt timide vanachter* BAINES *naar haar moeder.*

139. BUITEN. OERWOUD OP WEG NAAR STRAND. DAG.
De piano wordt voorop gedragen, terwijl BAINES *in de beslotenheid van het bos* ADA *hartstochtelijk kust. Ze kijkt naar hem, bezorgd.*

140. BUITEN. STEWARTS HUT. DAG.
STEWART *legt zes geweren voor de deur van zijn hut neer. De* ONDERHANDELAAR VAN DE MAORI'S *en zijn mensen inspecteren ze. De* ONDERHANDELAAR *beduidt dat hij ook de dekens wil.*

141. BUITEN. STRAND. DAG.
Op het strand zit ADA *naar de zee te kijken, terwijl* FLORA *achter haar rug een dikke vlecht maakt in haar haar. Ze zet de muts er voorzichtig op. Bij de waterlijn voor hen wordt de piano op de kano geladen.*

142. BUITEN. STRAND. DAG.
HIRA *en* BAINES *staan naast elkaar bij de kano.* HIRA *kijkt naar* ADA.
HIRA: Ik maak zorgen om jou.
BAINES: Nee, ik houd van haar, we worden een gezin. Ik heb haar piano. Ik zal hem repareren, ze wordt beter. Ik maak me zorgen om jou.
HIRA (*Nors.*): O, met mij is 't goed... Ik heb mijn tabak. Uiteindelijk, kunnen we verliezen? Nee, we richten de *pakeha*-geweer op de *pakeha* en krijgen ons land terug. Pang! Pang!

143. BUITEN. OP ZEE/STRAND. DAG.
De zee is woelig en de piano is moeilijk stil te houden op de kano. BAINES *helpt de piano vast te zetten; de uiteinden van dikke touwen liggen opgerold onder de voeten van de vrouwen.*

MAORI-ROEIER: *Tarmaharawa – aianei tahuri ai.*
[*Ondertiteld*: Het is te zwaar – de kano slaat straks om.]

BAINES: *Keite pai! Kaare e titahataha ana.*
[*Ondertiteld*: Het gaat goed! Kijk, hij is mooi in evenwicht.]

HIRA: Laat hem toch achter, *Peini* – hij te zwaar.

BAINES: Nee, ze heeft hem nodig, ze moet hem hebben!

ANDERE ROEIER (*Haalt zijn schouders op.*): *Te hau – Kua. Kaha ke te pupuhi.*
[*Ondertiteld*: Het waait al hard.]

144. BUITEN. STRAND. DAG.
HIRA *is achtergebleven op het strand met één kind en twee andere* MAORI'S. *De tranen lopen openlijk over haar grote, bedroefde gezicht terwijl ze een afscheidslied zingt voor* BAINES.

HIRA: *He rimu teretere koe ete. Peini eeeii,*
Tere Ki Tawhiti Ki Pamamao eeeii
He waka Teretere He waka teretere.
Ko koe ka tere ki tua whakarere eeeii.
[Je bent als zeewier drijvend op zee, Baines,
Drijf weg, drijf ver voorbij de horizon.
Een kano glijdt hierheen, een kano glijdt daarheen,
Maar jij zult verder reizen en uiteindelijk
aan gene zijde zijn.*]

145. BUITEN. OP STRAND. DAG.
De kano is weggevaren van de kust. FLORA *leunt over de*

* met toestemming van Selwyn Muru

rand van de kano. Haar mond; haar haar wordt weggehouden door BAINES.

FLORA: Ik kan niet...

BAINES *wrijft over haar rug.* FLORA *richt zich op.*

Ik kan het niet.

Ze gaan weer naar hun plaats, FLORA *met haar rug naar de piano, terwijl* BAINES *naast* ADA *gaat zitten. Hij pakt teder haar gezonde hand.* ADA *trekt haar hand weg en gebaart naar* FLORA, *die verbaasd van haar moeder naar* BAINES *kijkt.*

BAINES: Wat zei ze?

FLORA (*Verbouwereerd.*): Ze zegt, gooi de piano overboord.

BAINES (*Tegen* ADA.): Hij staat goed, het lukt ze wel...

ADA *gebaart weer.*

BAINES (*Ongerust.*): Wat?

FLORA: Ze zegt, gooi hem overboord. Ze wil hem niet. Ze zegt dat hij bedorven is.

BAINES: Ik heb de toets hier, kijk maar, ik laat hem repareren...

ADA (*Beweegt haar lippen en richt zich rechtstreeks tot* BAINES.): 'DUW HEM OVERBOORD.' (*Ze wordt steeds resoluter.*)

MAORI-ROEIER: *Ae! Peia. Turakina! Duwem! Peia te kawheha kite moana.*

[*Ondertiteld*: Ja, ze heeft gelijk, duw hem overboord, duw de lijkkist in het water.]

BAINES (*Zacht, met klem.*): Ada, alsjeblieft, je krijgt er spijt van. Het is jouw piano. Je mag hem van mij houden.

Maar ADA *luistert niet, ze is onvermurwbaar en begint de touwen los te maken.*

FLORA (*Wordt bang.*): Ze WIL hem niet!

De kano begint te schommelen terwijl ADA *met de touwen worstelt.*

BAINES: Goed dan, ga maar zitten, ga maar zitten.

ADA *gaat tevreden zitten. Haar ogen sprankelen en haar gezicht straalt.*

BAINES *praat met de* MAORI'S, *die ophouden met peddelen en samen maken ze de touwen los waarmee de piano aan de kano is vastgebonden.*

Terwijl ze de piano naar de rand schuiven, kijkt ADA *in het water. Ze steekt haar hand in de zee en beweegt haar heen en weer.*

Ze laten de piano voorzichtig zakken en met een duw gaat hij over de rand. Als de piano in zee plonst, schieten de losse touwen erachteraan. ADA *kijkt toe als ze langs haar voeten slingeren en dan, uit een fataal soort nieuwsgierigheid, grillig en onbeheerst, zet ze haar voet in een lus.*

Het touw trekt strak om haar voet, zodat ze wordt meegesleurd de zee in en door de piano naar beneden wordt getrokken in het koude water.

146. BINNEN. ZEE BIJ STRAND. DAG.

Er komen luchtbellen uit haar mond. Ze zinkt dieper en dieper, haar ogen staan open, haar kleren wervelen om haar heen. De MAORI'S *duiken haar na, maar kunnen haar in die diepte niet bereiken.* ADA *begint zich te verzetten. Ze trapt naar het touw, maar het zit strak om haar laarsje. Ze trapt nog eens hard en dan wipt ze met haar ene voet de andere uit haar schoen. De piano en haar schoen zinken verder, terwijl* ADA *erboven zweeft, drijvend in het diepe water; opeens wordt haar lichaam wakker en vecht, worstelt omhoog naar het oppervlak.*

147. OP ZEESTRAND. DAG.

Als ADA *uit het water opduikt, begint haar VOICE-OVER:*

ADA (V.O.):

Wat een dood!
Wat een kans!
Wat een verrassing!

Heeft mijn wil het leven gekozen!?
Hij had me wel even bang gemaakt, en vele anderen ook!

ADA *wordt hoestend en proestend op de kano gehesen. Ze wordt in jassen en dekens gewikkeld.*

148. BINNEN. ZEE BIJ STRAND. DAG.

Onder water zien we de bodem van de kano en de peddels die door het oppervlak steken.

149. BINNEN. ADA'S ZITKAMER IN NELSON. SCHEMERING.

ADA (v.o.):

Ik geef nu pianoles in Nelson. George heeft een ijzeren vingertop voor me gemaakt; ik ben echt de zonderling van de stad, wat niet onprettig is.

Ik leer praten. Het geluid is nog zo slecht dat ik me schaam. Ik oefen alleen als er niemand bij is, in het donker.

ADA*'s handen bewegen over de toetsen van de piano; haar ijzeren vinger glimt in het zwakke licht.*

UITFADEN NAAR:

150. BINNEN. ADA'S ZITKAMER IN NELSON. NACHT.

ADA *loopt heen en weer in de kleine zitkamer. Er is geen licht aan, er is alleen een vaag blauw, nachtelijk schijnsel. Over haar hoofd heeft ze een donkere doek; haar stem maakt diepe keelklanken terwijl ze de klinkers herhaalt.*

UITFADEN NAAR:

151. BINNEN. ZEEBODEM BIJ STRAND. DAG.

ADA (v.o.):

'S Nachts denk ik aan mijn piano in zijn zeegraf, en soms zie ik mezelf erboven zweven. Daar beneden is alles zo roerloos en stil dat het me in slaap sust. Het is een eigenaardig slaapliedje, dat wel; het is mijn slaapliedje.

ADA's *piano op de zeebodem, de klep is weggevallen. Erboven drijft* ADA, *haar haar en armen gespreid in een gebaar van overgave, haar lichaam langzaam tollend aan het eind van het touw. De roestkleurige bladeren van het zeewier reiken naar haar en raken haar aan.*

ADA (v.o.):

ER IS EEN STILTE WAAR GEEN GELUID OOIT WAS

ER IS EEN STILTE WAAR GEEN GELUID KAN ZIJN

IN HET KOUDE GRAF, IN DE DIEPE, DIEPE ZEE.*

* Thomas Hood (1799 – 1845): 'Sonnet: Silence'.

NOTEN EN EXTRA DIALOOG

1 Scène 10. GESPREK VAN ZEELUI.
Door de wind en de zachte toon waarop ze praten zijn hun woorden niet goed te verstaan.
- Het is een verlaten kust, een verlaten kust.
- Laat haar toch, ze wilde het zelf.
- Krijg de tering!
- Ja, ja, mooi hoor, laat haar maar hier, dan kun je je lol nog op.
- Doe maar wat je wil, maar ik ga hier weg.
enz.

2 Scène 12. OPMERKING VOOR DECORBOUW.
ADA's vinger is ín de donkere kist te zien als ze een paar noten speelt.

3 Scène 15. OPMERKING VOOR VERTALING.
(i) Bij de dialogen van BAINES en de MAORI'S in de taal der Maori's is de algemene opzet dat alleen indien noodzakelijk voor betekenis of humor een vertaling in ondertitels wordt gegeven. Voor de lezers van dit scenario zal echter alles worden vertaald; wat ondertiteld wordt, is aangegeven. Zie ook de Woordenlijst, p. 131.

(ii) Extra dialoog in het Maori, scène 15.

– *Awe!*

[Wat is dat?]

– *He Kehua?*

[Is het een geest?]

PARA *en* TU *maken vogelgeluiden.*

E kii ha manu kourua!

E tiko manu ana kourua?

[Dus jullie denken dat jullie vogels zijn!
Poepen jullie ook als vogels?]

(iii) Veel MAORI'S hoesten, zijn verkouden en hebben zweren. (Ze hebben geen weerstand tegen Europese ziekten.)

(iv) Namen van Maori's.

MANNEN

Tu *Tame*

Pito *Hotu*

Hone *Para*

Tipi *Kaha* (jongen)

VROUWEN

Tai *Ani*

4 Scène 19.

(i) Dialoog op achtergrond voor begin van scène

– *He ahu te raruraru*

[*Ondertiteld*: Wat is er gebeurd?]

– *I konei tonu, ka moe te koroua nei.*

[*Ondertiteld*: Hij besloot zomaar om te gaan slapen]

(ii) Dialoog op achtergrond voor einde van scène

– *Taiho. Kei muri pea inga rakau nei. Aue!*
Tino matatoru konei.

Me haere ake ano an ki runga.
[Wacht, misschien achter dit bosje. Tjee, wat zijn de struiken hier dicht. Ik kom weer terug.]
– *Kahore ne huarahi – kahorene tutae.*
[Geen spoor, geen stront]

5 Scène 29. ADA's pianostuk, duur ongeveer 90 seconden.

6 Scène 30. Duet, 20-30 seconden.

7 Scène 33. FLORA zingt, 20 seconden.

8 Scène 34. Volkslied in woorden van HENI/MARY:
HENI/MARY
Got safe ah gayshy Quin
Long lif a gayshy Quin
Got shayf a Quin
Shendah Wikitoria
Har – py en a Clohria
Long to rain ourush
Got Safe ah Quin

9 Scène 37. Vertaling:
Wie rommelt daar binnen?
Is het Ruaumoko, is het Ruaumoko?
Stomp, sla, stomp, sla
Stomp, sla, stomp, sla
De Taniwha, de Taniwha.
Die zit erin... Hij!

10 Scène 65. De modder rond de school is zo diep dat er een labyrint van planken is neergelegd om er niet in weg te zakken.

11 Scène 87. Extra dialoog.
PIANODRAGERS VAN DE MAORI'S
– *Tahi Patene ruapuri patene*
Tekau patene ornatekau pwari patene
[Eén knoop, twee rottige knopen.
Tien knopen, twintig rottige knopen.]
– *Kia Whai tarau ano ra monga patene!*
[We moeten broeken hebben voor de knopen, hè!]
– *He patene te kai, he patene te kai*
A popo ka tiko patene ahau patene
ma nga tangata katoa.
[Knopen voor eten, knopen voor eten.
Knopen voor iedereen. Morgen poep ik nog knopen.]

12 Scène 100. Ongeveer 60 seconden pianospel van ADA.

VERKLARENDE WOORDENLIJST

haka	krijgsdans van Maori's
kuia	oudere of gezaghebbende vrouwen
kumera	zoete aardappel
mana	eer, aanzien
Moko	gezichtstatoeage
Pa	Maori-dorp rond een gemeenschapshuis
pakeha	blanke
Peini	Maori-naam voor Baines
pipi	kleine schelpdieren
Tapu	heilig, verboden
toi-toi	grote Nieuwzeelandse plant met veerachtige pluimen
Tupeka	tabak

ROLVERDELING

Ada	**Holly Hunter**
Baines	**Harvey Keitel**
Stewart	**Sam Neill**
Flora	**Anna Paquin**
Tante Morag	**Kerry Walker**
Nessie	**Geneviève Lemon**
Hira	**Tungia Baker**
Pastoor	**Ian Mune**
Eerste zeeman	**Peter Dennett**
Hoofdman Nihe	**Te Whatanui Skipwith**
Hone	**Pete Smith**
Blinde pianostemmer	**Bruce Allpress**
Mana	**Cliff Curtis**
Heni (Missie-meisje)	**Carla Rupuha**
Mary (Missie-meisje)	**Mahina Tunui**
Muturu	**Hori Ahipene**
Te Kori	**Gordon Hatfield**
Nihe's dochter	**Mere Boynton**
Marama	**Kirsten Batley**
Mahina	**Tania Burney**
Te Tiwha	**Annie Edwards**
Roimata	**Harina Haare**
Parearau	**Christina Harimate**
Amohia	**Steve Kanuta**
Taua	**P.J. Karauria**

Tame	**Sonny Kirikiri**
Kahutia	**Alain Makiha**
Tipi	**Greg Mayor**
Tahu	**Neil Mika Gudsell**
Kohuru	**Guy Moana**
Rehia	**Joseph Otimi**
Mairangi	**Glynis Paraha**
Rongo	**Riki Pickering**
Pitama	**Eru Potaka-Dewes**
Te Ao	**Liane Rangi Henry**
Te Hikumutu	**Huihana Rewa**
Pito	**Tamati Rice**
Hotu	**Paora Sharples**
Tuu	**George Smallman**
Tu Kukuni	**Kereama Teua**

MEDEWERKERS

Regie	**Jane Campion**
Scenario	**Jane Campion**
Produktie	**Jan Chapman**
Produktieleider	**Alain Depardieu**
Produktie-assistent	**Mark Turnbull**
Opnameleider	**Stuart Dryburgh**
Art director	**Andrew McAlpine**
Kostuums	**Janet Patterson**
Muziek	**Michael Nyman**
Montage	**Veronika Jenet**

Casting:

Nieuw-Zeeland	**Diana Rowan**
Groot-Brittannië	**Susie Figgis**
Verenigde Staten	**Victoria Thomas**
Maori-dialogen en adviseurs	**Waihoroi Shortland**
	Selwyn Muru
Geluid	**Lee Smith**
Produktie-manager	**Chloe Smith**
Eerste regie-assistent	**Mark Turnbull**
Fotografie	**Grant Matthews**
	Polly Walker

DE TOTSTANDKOMING VAN *DE PIANO*

Jane Campion begon in 1984 met het schrijven van *De piano*, nog voordat ze haar eerste speelfilm *Sweetie* (1989) had gemaakt en lang voordat ze *An Angel at My Table* (1990) regisseerde.

Hoewel ze in Sydney woonde en werkte, ging ze in haar verbeelding telkens terug naar het koloniale verleden van haar geboorteland, Nieuw-Zeeland:

CAMPION: Ik heb eigenlijk een vreemd erfgoed als *pakeha* Nieuwzeelandse, denk ik, en ik wilde er iets mee doen, het uitwerken. In tegenstelling tot de oorspronkelijke bevolking van Nieuw-Zeeland, de Maori's, die zo gehecht zijn aan de geschiedenis, lijkt het of wij geen geschiedenis hebben, althans niet dezelfde traditie. Daardoor ga je je afvragen: 'Wie zijn mijn voorouders eigenlijk?' Mijn voorouders waren Engelse kolonisten – de mensen die net als Ada en Stewart en Baines erheen zijn getrokken.

Toen deze drie fictieve, negentiende-eeuwse voorzaten eenmaal waren verzonnen, plaatste Campion hen in een gespannen driehoeksverhouding om te onderzoeken hoe erotische gevoelens en de onvoorspelbare emoties die kunnen ontstaan als aan deze gevoelens gehoor wordt gegeven, in een andere eeuw en een ander landschap kunnen zijn beleefd:

CAMPION: Ik vond het heerlijk personages te beschrijven die anders tegenover seks staan dan wij nu, in de twintigste

eeuw. Ze zijn totaal onvoorbereid op de hevigheid en de kracht ervan. Wij zijn opgegroeid met allerlei tijdschriften waarin wordt beschreven hoe je met elkaar moet flirten, en waarin talloze regeltjes en manieren worden gegeven om ermee om te gaan. Wij groeien met zoveel verwachtingen op dat het net is of de zuivere, seksuele, erotische impuls ons ontsnapt. Maar voor hen... de echtgenoot Stewart had waarschijnlijk nog nooit met iemand gevreeën. De ervaring van seksualiteit of gevoelens van jaloezie moet zijn persoonlijkheid dan ook hebben veranderd. De invloed van seks wordt niet verzacht, daardoor is de seksualiteit zuiverder en extremer.

Ongeveer drie jaar nadat ze was begonnen, liet Jane Campion de eerste versie van het scenario van *De piano* zien aan Jan Chapman, die de film zou produceren. Chapman en Campion hadden samen bij de *Australian Broadcasting Commission* gewerkt, toen Chapman in 1986 Campion uitnodigde de televisiefilm *Two Friends* te regisseren. Chapman werd overtuigd door wat ze las:

CHAPMAN: Ik vond het geweldig. Het deed me denken aan dingen uit mijn puberteit, fundamentele dingen, ideeën die ik had gevormd op grond van romantische lectuur, het idee dat hartstocht alles is, dat je door voor je verlangens te leven met volle teugen van het leven kunt genieten.

Tussen andere filmprojecten door organiseerden de twee bijeenkomsten met Billy McKinnon om het scenario verder uit te werken:

CAMPION: Een van de belangrijkste veranderingen in het scenario was een poëtischer, psychologischer einde.

CHAPMAN: Het einde moest echt goed zijn, anders zou het te sentimenteel worden. Maar in wezen kwam Jane – met onze hulp – op het idee om Ada's erotische belangstelling te laten verschuiven van de minnaar Baines naar de echtgenoot Stewart. Dat maakt de film toch modern en niet sentimenteel, denk ik.

CAMPION: Ada gebruikt haar echtgenoot Stewart in feite als seksobject – dat is de wrede moraal van de film – wat doodonschuldig lijkt, maar feitelijk in potentie heel verrassend is. Veel vrouwen weten wat het is om zich een seksobject te voelen, denk ik, en dat is precies wat er met Stewart gebeurt. De rollen zijn in de regel omgekeerd, als mannen zeggen: 'Ach, seks gaat alleen om de seks.' Maar ergens is het schokkend om een vrouw dat te zien doen, met name een Victoriaanse vrouw – en om een man zo kwetsbaar te zien. Het wordt een machtsverhouding, de macht van degenen die om een ander geven en degenen die dat niet doen.

Campion liet de handeling spelen tegen een grootse en tegelijk intieme achtergrond, het oerwoud van Nieuw-Zeeland:

CAMPION: Het oerwoud heeft iets betoverends, iets complex en zelfs beangstigends, iets wat je nergens anders vindt. Het is er mossig en besloten, en het is net of je onder water bent, zo zien de kleuren eruit. Dat heeft me altijd aangetrokken. Ik zocht de sterke, onderbewuste beelden van het oerwoud, de duistere, innerlijke wereld.

Het instinctieve spel dat we volgens mij moesten spelen was dat het verhaal van de film en het landschap weliswaar op het romantische genre duiden, maar dat de mensen tegelijkertijd volkomen realistisch lijken – zodat je je nooit helemaal aan de indruk kunt onttrekken dat de handeling in een sprookje of een romantische wereld plaatsheeft. Een van de clichés van de romance is dat de heldin een klassieke schoonheid is, maar ik wilde dat onze acteurs realistisch waren, iets wat tegen de zuivere romantiek indruist.

We hebben hier te maken met fictie, maar het gevoel van authenticiteit in het uiterlijk is heel belangrijk. Dat gevoel kan op allerlei manieren worden opgeroepen – bijvoorbeeld door de heldin vettig haar te geven. Als je oude foto's bekijkt, zie je dat de mensen allemaal vet haar hebben. Meestal wordt dat niet overgenomen in historische films. Veel actrices vinden dat ze er een hard uiterlijk van krijgen, maar Holly was sportief en stemde erin toe. Ik denk dat de film en het personage er door dit soort dingen anders uitzien: kapsels die vreemd zijn, maar ook authentiek. En ze zijn hard, maar de belichting is zo, dat men meeleeft met het personage; we geven voortdurend dit soort tegengestelde signalen.

Ik voel een verwantschap tussen deze film en het soort romance dat Emily Brontë beschreef in *De woeste hoogte.* Haar opvatting van romantiek hebben we uiteindelijk niet gebruikt, die is erg streng en extreem, de romantiek van een griezelverhaal. Ik wilde in mijn eigen eeuw op die ideeën reageren.

Omdat ik niet in de tijd van Emily schrijf, kan ik een kant van de verhouding belichten die toen niet mogelijk was. In mijn uitwerking kan de seksualiteit veel uitgesprokener zijn, kan de kracht van de erotiek nader worden onderzocht, wat een extra dimensie kan geven. Want dan krijg je te maken met het hele lichaam, en het lichaam heeft een bepaalde uitwerking, bijna als een verdovend middel, heeft bepaalde verlangens naar erotische bevrediging die ook heel sterke krachten zijn.

Andrew McAlpine, de art director, herinnert zich dat ze niet alleen de gecompliceerde en vele decors maar ook ieder landschap zo aanpasten dat het gevoel of de stemming van de bewuste scène werd versterkt:

MCALPINE: Neem het landschap van smeulende stronken en modder rond Stewarts huis. We hebben dode bomen neergezet en verkoold om de illusie te scheppen van drie bunders modderige kaalslag. Ik wilde laten zien hoe de bruid in deze zompige somberheid van Stewart werd gezogen en er dan uitkwam en de groene kathedraal van *nikau* en *punga* betrad, die Baines' leven is: een landschap uit een griezelverhaal, omgeven door dat koele, groene licht.

Hetzelfde geldt voor de locatie van de scène waarin Stewart Ada aanrandt op het pad naar Baines' hut. Het was te open, dus hebben we een netwerk van Berchemia aangebracht. Dat is zoiets ongelooflijks in het oerwoud van Nieuw-Zeeland, zo'n anarchistische klimplant met zijn zwarte takken. Het is een heel taaie plant; je kunt hem niet breken. Dus hebben we een gigantisch net gemaakt, die gruwelijke nachtmerrie van tentakels waarin Ada en Stewart met elkaar vechten.

Voor opnameleider Stuart Dryburgh waren de tegenstrijdigheden in het verhaal het aantrekkelijkst:

DRYBURGH: Het gaat om een kostuumstuk, wat allerlei consequenties heeft, en toch was Janes benadering volstrekt oneerbiedig. De periode biedt de mogelijkheid bepaalde extreme dingen te laten gebeuren, maar ik vond het een uiterst eigentijds verhaal.

Het standpunt van de camera bij dit alles is dat van een getuige die de aandacht van de toeschouwer op een heel intieme manier stuurt. Soms gaan we naar plaatsen waar de camera in feite niet kan komen. We zijn in de piano geweest, in Stewarts zak, we zijn afgedaald tot op het niveau van handen, vingers en theekopjes. Het zou geen film van Jane Campion zijn zonder zulke geestige kadrering.

De cinematografie is geïnspireerd op een negentiendeeeuws kleurenrasterprocédé – de autochroomplaat. Daarom hebben we in verschillende delen van de film vaak sterke kleuraccenten gebruikt en hebben we het blauwgroen van het bos en de diepe amberkleur van de modder geaccentueerd. Een van de regie-instructies luidde dat in het bos het onderwater-element van de film moest terugkomen. 'Aquariumbodem' was de omschrijving die we zelf hanteerden om aan te geven wat we zochten. Daarom hielden we het bij donker blauw-groen en lieten we de huidtinten daarin opkomen.

We hebben geprobeerd het bos niet zelf te belichten, maar waar mogelijk alleen natuurlijk licht te gebruiken. Het is een vreemd licht, een licht dat van boven komt, maar ook uit allerlei verschillende richtingen tegelijk. Er kunnen abrupte overgangen tussen licht en schaduw ontstaan door zonnestralen die door het bladerdak stromen naast de diepste schaduw in de bedding van een rivier en dat kan op enkele centimeters afstand zijn. We hebben geprobeerd het eerlijk weer te geven en het een donker oord te laten zijn.

Sally Sherratt, degene die verantwoordelijk was voor de locatie, had bijna een maand nodig om de stranden van zwart zand en de kliffen met oerwoud van bijna prehistorische dichtheid te vinden – en de modder. In feite werd het landschap een combinatie van afgelegen en aan elkaar grenzende locaties, bij elkaar gesprokkeld om de weelderige verscheidenheid van het oude Nieuw-Zeeland weer te geven. Ze weet nog dat 'Jane heel duidelijk maakte wat ze wilde. Elke locatie moest aan een speciaal gevoel en een speciale betekenis beantwoorden – en ze waarschuwde me: "Pas op voor het Vriendelijke Oude Oerwoud!"'

Jan Chapman herinnert zich de eerste ontmoeting van Campion en Sheratt:

CHAPMAN: Het was heel anders dan andere besprekingen over locaties die ik heb bijgewoond, doordat het zo gedetailleerd was. Je denkt dat oerwoud oerwoud is, maar Sally en Jane zaten helemaal lyrisch en hartstochtelijk te praten – over verschillende soorten bomen! Als Australische kende ik het Nieuwzeelandse oerwoud eigenlijk niet. Nu heb ik er wel gevoel voor gekregen – het speelde een belangrijke rol in de film. En nu vind ik ook dat het een wezenlijk element is van Nieuw-Zeeland, dat de band met het land daar essentieel is.

Van groot belang voor de authenticiteit van het tijdsbeeld was het opnemen van een Maori-geschiedenis. Campion was ervan overtuigd dat er in de film plaats voor moest zijn en dat er Maori-adviseurs en -schrijvers bij moesten komen om te helpen dat verhaal te bedenken:

CAMPION: Het is wel een Europees verhaal, en ik ben Europees, maar ik besloot dat er Maori's in de film thuishoorden. Interculturele samenwerking ligt vrij gevoelig en voor mij was het een nogal spannende onderneming. Het verliep niet zonder tranen en problemen. Toch geloof ik dat de mensen echt blij waren met een plek waar een ontmoeting mogelijk was. Je hebt er gewoon niet vaak de kans voor in het dagelijks leven van Nieuw-Zeeland. Uiteindelijk werd het interculturele element voor ons allemaal, acteurs en makers, een van de ontroerendste dingen in de produktie.

Het resultaat van de samenwerking is een grote groep Maori-acteurs, die in de film een sterke collectieve aanwezigheid vormt. Eén aspect van die zichtbaarheid is de traditionele lichaamscultuur van de Maori's. Gordon Hatfield, zelf graveur, die op het scherm een authentieke biltatoeage in een traditioneel patroon van zijn stam (de 'Nga Puki') toont, verklaart: 'In onze cultuur wordt het hele lichaam als een tempel beschouwd.' Het opvallendst zijn gezichtstatoeages (*moko*), die de status en spirituele kracht (*mana*) van de drager binnen de stamgemeenschap der Maori's symboliseerden.

Voor Harvey Keitel, als George Baines, was de aanwezigheid van Maori's al even belangrijk:

KEITEL: Baines heeft zijn cultuur opgegeven – hij is geen *pakeha* en hij is geen Maori. Hij is niets, zoekt een plek voor zichzelf en die vindt hij door zijn vermogen tot lijden, door zijn vermogen op reis te gaan om te vinden wat hij zoekt. Hij is geïnteresseerd in de mogelijkheid een band te hebben, een gezin, een relatie.

Net als Baines was Keitel getroffen door het feit dat de Maori's, in hun rol en daarbuiten, 'een veel nauwere band met de aarde en de geesten hebben dan de *pakeha*':

KEITEL: Ik was onder de indruk van Tungia, de vrouw die in de film Hira speelt. Ze kwam op het strand van Karekare en het eerste wat ze deed was over het strand naar de zee lopen, zich bukken en zich met water besprenkelen. Ik zei: 'Wat doe je?' En zij zei: 'Ik vraag de zee me te verwelkomen.'

In 1990 begonnen Chapman en Campion aan een lange reis om kapitaal te werven. Uiteindelijk kwam de oplossing door een investering van één geldschieter, het Franse bedrijf CIBY 2000.

CHAPMAN: CIBY was een nieuw bedrijf, waarin we geloofden omdat ze de creatieve vrijheid van de filmer kennelijk intact laten. Ze hadden al kapitaal verstrekt voor films van David Lynch, Pedro Almodóvar en ze hadden een produktie van Bertolucci op stapel staan. We besloten om een gezamenlijk, creatief risico te nemen. De vertegenwoordiger van CIBY, Alain Depardieu, liet ons de film op onze eigen manier maken, maar was wel aanwezig om de communicatie met het Franse bedrijf goed te laten verlopen.

Voor de toekomstige 'door Fransen gefinancierde, in Nieuw-Zeeland spelende Australische produktie van een Nieuwzeelands verhaal' wilden Chapman en Campion graag een internationale cast. Campion, die de reputatie had sterke vertolkingen aan minder ervaren acteurs te kunnen ontlokken, zocht een ander soort uitdaging:

CAMPION: Ik wilde werken met acteurs die me in een nieuwe situatie zouden brengen, ik wilde zelf uitgedaagd worden door acteurs die veeleisend en ervaren waren. De personages in het scenario moesten 'gedragen' worden door acteurs die ze aankonden, ze beheersten en de ervaring daarvoor hadden.

In feite was het scenario zelf een belangrijke factor in het aantrekken van die ervaring. Campion had al lang haar landgenoot Sam Neill op het oog voor de rol van Stewart:

NEILL: Ik weet nog dat ik Jane op het filmfestival van Berlijn ontmoette en zei: 'Natuurlijk zie ik Stewart als een typische *pakeha* Nieuwzeelander, met een zucht naar land en zo.' En Jane was heel verrast; zij zag Stewart helemaal niet als de schurk van het stuk – wat ik heel stimulerend vond. Hij vervult die rol wel af en toe, maar hij is de schurk niet. Ik praat niet goed wat hij doet, maar voor mij is het volkomen begrijpelijk vanwege de tijd waarin hij leeft: en hij is een man van zijn tijd.

Ik geloof dat in deze film zowel de wanhopige als de mooie dingen aan bod komen die zich tussen mannen en vrouwen afspelen, en dat op een manier die je niet vaak ziet in films. Dat levert momenten van sublieme extase en van de gruwelijkste angst, van doodsangst op. Het was best griezelig om op dat terrein te acteren – het helpt als je wat levenservaring hebt.

Ik zie Stewart als een heel kwetsbare man. Hij heeft iets zieligs: de eenzaamheid. Wat er met hem gebeurt is, denk ik, dat dat pantser – een muur die Victoriaanse mannen om zich konden optrekken – barst en verpulvert door de hevigheid van zijn gevoelens voor Ada, waardoor hij naakt komt te staan. Ik zie hem als een man die zijn huid heeft verloren.

Over het sterke hart van de film, Ada, herinnert Chapman zich:

CHAPMAN: We hadden een lange lijst van uitstekende mogelijkheden, van Australische actrices tot een aantal Franse, Engelse en Amerikaanse. We hadden best zo fantasieloos kunnen zijn om Holly Hunter niet te zien, want de Holly van *Broadcast News* en onze Ada waren twee totaal verschillende figuren. Ada moest een lange vrouw worden met een krachtige, duistere, mysterieuze Frida Kahlo-achtige schoonheid. Maar op Holly's auditieband was haar blik gewoonweg schitterend.

Voor Hunter bevatte het scenario 'één element dat in bijna alle scenario's die ik lees ontbreekt: een heel scala aan dingen die niet aan het publiek of aan de personages zelf worden uitgelegd – en dat is nou juist het fascinerende deel van het verhaal, heel, heel fascinerend...'

HUNTER: De kostuums hebben me enorm geholpen: de absurditeit van een vrouw in een keurig geregen corset, reusachtige hoepelrokken, petticoat, lange onderbroek, lijfje en onderjurk, die zich gracieus een weg probeert te banen door het oerwoud; dat was een echte, lijfelijke manifestatie van Ada. Daar hadden vrouwen in die tijd mee te maken, zo ontwikkelden ze zich: je zag duidelijk een lichamelijke zwakheid – en toch waren er naast gratie kracht en volharding nodig om die kleren te dragen. Het was een interessante tweeslachtigheid die deze periode me te bieden had.

Ik vond het heel moedig van Jane om in Ada een oorspronkelijker soort seksualiteit en sensualiteit te zoeken. Jane wilde eigenlijk voor zichzelf herdefiniëren wat je in Ada mooi zou kunnen gaan noemen naarmate het verhaal zich verder ontwikkelt: van de kapsels tot de strengheid van de kostuums. Tot mijn verbazing is ze erin geslaagd deze negentiende-eeuwse vrouw zonder conventionele moraal te tekenen. Ada had eigen normen die haar leidden; die van de samenleving raakten haar niet echt. Ze kende eigenlijk geen schaamte of schuldgevoel.

Hunter had voor de rol van Ada ook nog een onverhoopt talent: het pianospel dat cruciaal werd in de definitie van de stomme 'stem' van het filmpersonage.

De componist, Michael Nyman, ontmoette Hunter in New York in de periode voor de opnamen:

NYMAN: Ik moest zuiver lichamelijke dingen weten, bijvoorbeeld of ze snel of langzaam kon spelen, wat haar bereik was en zo. Uit de band die ze me had gestuurd, kon ik opmaken dat ze veel beter was in sterke, emotionele stukken dan heel precieze, ritmische dingen. Ik moest muziek zoeken waar Holly, de pianiste en de actrice, niet het personage, zich emotioneel toe aangetrokken voelde, zodat ze er echt in kon opgaan en vol vuur kon spelen.

Ik moest niet alleen een repertoire van muziek voor de film maken, maar ook een repertoire van pianomuziek die Ada's repertoire als pianiste zou zijn geweest, bijna alsof ze het zelf had geschreven.

Aangezien Ada uit Schotland kwam, was het logisch om Schotse volksliedjes als basis voor onze muziek te nemen. Toen ik eenmaal op dat idee was gekomen, ging het verder vanzelf. Het is net of ik de muziek van een andere componist heb geschreven, een componist die halverwege de negentiende eeuw toevallig in Schotland en vervolgens in Nieuw-Zeeland woonde. Iemand die duidelijk geen beroepscomponist of pianist was, dus het moest wel bescheiden blijven.

Muziek is absoluut essentieel voor de film. Omdat Ada niet spreekt, heeft de pianomuziek niet zomaar de gebruikelijke expressieve rol, maar wordt een substituut voor haar stem. Het geluid van de piano wordt haar karakter, haar stemming, haar uitdrukking, haar ongesproken dialoog. De muziek moet overbrengen wat zij over haar gevoelens voor Baines tijdens de pianolessen wil duidelijk maken. Ik moest een soort gehoordecor scheppen dat even belangrijk was als de locaties, even belangrijk als de kostuums.

De filmmuziek moet ook zo worden geschreven dat die herkenbaar is als mijn muziek. In het beste geval blijf je jezelf en laat je het project nog meer uit je halen.

Hunter, die tot het eind van haar puberteit pianoles had gehad, was nog maar net weer begonnen toen ze de rol van Ada kreeg: 'Het was een moeilijke, beangstigende opdracht. Ik wist niet of ik voor mensen kon spelen. Maar ik moest zo vaak en zo veel spelen dat het op het laatst wel lukte.'

Halverwege 1991 vlogen Campion en Chapman naar Los

Angeles om nog een verrassende acteur aan te trekken: Harvey Keitel. Over hun samenwerking vertelt Campion:

CAMPION: Het aardige van Harvey is dat hij geen jonge en geen oude acteur is, hij is in zekere zin leeftijdloos. Hij houdt van acteren en heeft er heel principiële en uitgesproken ideeën over. Hij heeft mij bewust gemaakt van de acteertraditie, hij is een van die mensen die er echt in leven.

Campion gaf de Nieuwzeelandse agente Di Rowan opdracht de vierde hoofdrolspeelster van *De piano* te zoeken: Flora. Na een speurtocht door het hele land en een stapel auditiebanden zag Campion haar eindelijk: een jong meisje genaamd Anna Paquin:

CAMPION: Ik weet nog dat ik de auditieband voor het eerst zag. Anna kwam op en ik zag een heel tenger meisje, waarschijnlijk het kleinste van allemaal – en vreselijk verlegen. Ik had de band bijna afgezet. Dat meisje zou nooit in staat zijn dat hele verhaal te houden, dacht ik. Ik viel zowat van mijn stoel toen ze begon. Ze keek recht in de camera en vertrok geen spier. Ze hield een lang, uiterst gepassioneerd verhaal over hoe Ada haar stem was kwijtgeraakt, en je geloofde haar gewoon. Het is heel bijzonder een zo jong iemand te zien met zo'n gevoel voor toneel.

In Campions scenario was de band tussen Flora en haar moeder heel nauw, een soort symbiose, ze was bijna haar spiegelbeeld. Andrew McAlpine zegt hierover: 'De verstandhouding tussen Ada en Flora is griezelig, als op een foto van Diane Arbus. Ook heel mooi, omdat de band zo broos is – en Holly en Anna bleken een uitzonderlijk paar te zijn.' Campion was buitengewoon ingenomen met de parallelle verstandhouding die tussen de Amerikaanse actrice en het meisje groeide, wier 'fantastische gevoel' Hunter prees. Campion zegt hierover: 'Anna is nooit echt ingestort zoals bij langduri-

ge opnamen vaak met kinderen gebeurt, heb ik me laten vertellen. Ik denk dat het goed was dat ze Holly had – en ze waren vanaf de eerste dag dol op elkaar. Ze vormden een geweldig team – Anna nam al Holly's manieren over.'

Over het scenario waarin ze een om mysterieuze redenen stomme moeder krijgt, merkt Anna op:

ANNA: Soms denk ik wel dat Ada een beetje raar is. Ik bedoel, wat is er gebeurd dat ze niet praat? Ze heeft niet gepraat sinds ze zes was!

Ik vond Holly al gelijk aardig toen ik haar zag – omdat ze van Jane niet op de set mocht praten, zodat ik eraan kon wennen dat ik een moeder had die niet praatte.

Op de vraag of ze het idee had dat er een overeenkomst bestond tussen Flora en haar, zegt ze: '...alleen een heel klein beetje. Maar zij liegt meer dan ik.'

Voor Campion was de inzet van de acteurs in deze film 'indrukwekkend': 'Ze voelen een speciale verantwoordelijkheid voor hun rol en wee je gebeente als je ook maar iets doet wat hun personage kan schaden of tekort doen.'

MIRO BILBOROUGH (Uit de produktie-aantekeningen)

JANE CAMPION

Jane Campion is geboren in Wellington in Nieuw-Zeeland en woont nu in Sydney in Australië. Nadat ze in 1975 haar doctoraalexamen in de antropologie had behaald aan de Victoria Universiteit van Wellington en in 1979 met als hoofdvak schilderen was afgestudeerd aan de kunstacademie van Sydney, legde ze zich aan het begin van de jaren tachtig toe op film en schreef ze zich in bij de Australische Film- en televisieacademie. Met haar eerste korte film, *Peel* (1982), won ze in 1986 de Gouden Palm van het filmfestival van Cannes. Andere korte films van haar zijn *Passionless Moments* (1984), *A Girl's Own Story* (1983), *After Hours* (1984) en de televisiefilm *Two Friends* (1986). Voor al deze films ontving ze Australische en internationale prijzen. Campion was mede-auteur van de eerste door haar geregisseerde speelfilm, *Sweetie* (1989), waarmee ze in 1989 de Georges Sadoul Prijs voor de beste buitenlandse film won en in 1990 de New Generation Award van de filmcritici van Los Angeles, de American Independent Spirit Award voor de beste buitenlandse speelfilm en de Australian Critics' Award voor de beste film, beste regisseur en beste actrice. Hierop volgde *An Angel at My Table* (1990), een gedramatiseerd verhaal gebaseerd op de autobiografie van Janet Frame, waarmee ze zo'n zeven prijzen won, onder andere in 1990 de Zilveren Leeuw op het filmfestival van Venetië. Voor deze film kreeg ze ook prijzen in Toronto en Berlijn en opnieuw de American Independent Spirit Award. Op het filmfestival van Sydney in 1990 werd *An Angel at My Table* uitgeroepen tot de populairste film. Voor haar laatste speelfilm, *De piano*, ontving ze in 1993 de Gouden Palm in Cannes.

'ER IS EEN STILTE WAAR GEEN GELUID OOIT WAS
ER IS EEN STILTE WAAR GEEN GELUID KAN ZIJN
IN HET KOUDE GRAF, IN DE DIEPE, DIEPE ZEE.'

Thomas Hood (1799-1845)